D0226821

Moch Bach
mewn
Basged Ddillad

ACC. No: 02894014

Moch Bach mewn Basged Ddillad

Aeryn Jones Llangwm

y Lolfa

C4m
9Q0
JaN

Argraffiad cyntaf: 2013

© Hawlfraint Aeryn Jones a'r Lolfa Cyf., 2013

Mae hawlfraint ar gynnwys y llyfr hwn ac mae'n anghyfreithlon i
lungopïo neu atgynhyrchu unrhyw ran ohono trwy unrhyw ddull
ac at unrhyw bwrpas (ar wahân i adolygu) heb gytundeb
ysgrifenedig y cyhoeddwyr ymlaen llaw

Dymuna'r cyhoeddwyr gydnabod cymorth ariannol
Cyngor Llyfrau Cymru

Cynllun y clawr: Y Lolfa
Llun y clawr: Evan Dobson

Rhif Llyfr Rhyngwladol: 978 1 84771 669 9

FSC
Cyhoeddwyd, rhwymwyd ac argraffwyd yng Nghymru gan
Y Lolfa Cyf., Talybont, Ceredigion SY24 5HE
gwefan www.ylolfa.com
e-bost ylolfa@ylolfa.com
ffôn 01970 832 304
ffacs 832 782

Cyflwyniad
a Gair o Ddiolch

P LESER ARBENNIG I mi – a phleser annisgwyl – oedd cael paratoi'r llyfr hwn. Fy ngorchwyl cyntaf, felly, a gorchwyl hyfryd iawn, yw diolch o galon i bawb sydd wedi gwneud hynny'n bosibl.

Yn naturiol, rhaid imi gyfeirio at fy nghartref, yr Hafod, Llangwm, tŷ fferm braf, wedi i adeiladu gan Anne a Michael Jones, y Bala, yn 1868. Prin gof sydd gennyf am fy nhaid, Owen Owens, tad fy mam, a gariwyd yn faban o'r hen dŷ, Foty Arddwyfaen, i'r tŷ newydd. Ond cawsom ni, blant, fagwraeth ardderchog iawn gan ein nain, Margaret Owens, a Mam a Dad, Elizabeth a John Hugh Jones. Derbyn pob gofal a chariad, a'n magu ar aelwyd ddiwylliedig, yn sŵn y Pethe, chwedl Llwyd o'r Bryn – un o'r cymeriadau arbennig rydw i'n cyfeirio atyn nhw yn y gyfrol.

Am fy nghartref, gallwn innau ddweud, fel y dywedodd fy mrawd Eifion mewn englyn:

Mwyn y cofiaf yr Hafod – mangre hoff,
   Mangre hwyl plentyndod;
Yno bu dechrau pennod
A bydd y lle gorau'n bod.

Mae fy niweddar frawd hynaf, Tegwyn, yntau, wedi rhoi disgrifiad manwl o'r cartref yn ei gyfrol *Llawer Haf yn yr Hafod: Atgofion Ffermwr o Uwchaled* (Gwasg Carreg Gwalch, 2001). Y cyfan sydd raid i mi yma, wrth enwi fy mrodyr a'm chwiorydd – Tegwyn, Eifion, Gwyndaf, Glenys a Rhiannon – yw dweud yn syml, ond yn diffuant iawn: diolch o galon.

Y mae arnaf ddyled arbennig i'm brawd Gwyndaf (Robin Gwyndaf) am sawl cymwynas a chyfarwyddyd. O'r dechrau, cefais bob anogaeth ganddo i baratoi'r gyfrol; ef a awgrymodd deitl cofiadwy iddi: 'Moch Bach mewn Basged Ddillad', a rhoddodd fenthyg llawer iawn o luniau imi.

Dyled i deulu; dyled hefyd i ardal. Cael byw yn ardal hyfryd a diwylliedig Llangwm a Dinmael, dyna fraint y byddaf yn fythol ddiolchgar amdani.

Yr un modd, carwn ddal ar y cyfle hwn i ddiolch i Lowri Rees-Roberts, golygydd *Wa-w!*, ac i Twm Elias, golygydd *Fferm a Thyddyn*, am gyhoeddi rhai ysgrifau cynharach ac am eu geiriau caredig.

Daw'r mwyafrif o'r lluniau o'm casgliad personol i. Rhaid imi, fodd bynnag, ddiolch yn arbennig iawn i Evan Dobson, y Bala, am y lluniau ardderchog a dynnwyd ganddo ef. Diolch hefyd i Eryl Edwards, Llanuwchllyn, a phawb arall y cynhwyswyd lluniau o'u heiddo.

A dyma fi wedi gadael enw'r person pwysicaf sy'n uniongyrchol gysylltiedig â'r gyfrol hon bron tan y diwedd, sef Elfyn Pritchard. Adrodd, dweud otori, ar actio ar lwyfan; casglu hen ollei llerm a sgwrsio amdanyn nhw; plygu gwrych a chodi wal sych – dyna fy mhethe i, nid ysgrifennu geiriau ar bapur. Ond mi wyddwn yn dda am un cymwynaswr a'r ddawn honno ganddo yn helaeth iawn. Am iddo ddod i'r adwy, canmil diolch. Ni fyddai'r gyfrol hon yn bosibl oni bai am garedigrwydd ac ymroddiad Elfyn. Mae fy niolch iddo, felly, yn ddiderfyn am ei gymorth parod a'r oriau lawer a dreuliais yn ei gwmni. Rwy'n mawr werthfawrogi.

Yr un modd, llond trol o ddiolch i'r Lolfa am gyhoeddi, ac am eu diddordeb arbennig yn y gwaith.

Hyfrydwch arbennig i mi yw cael cyflwyno'r gyfrol, gyda diolch o galon am bob cefnogaeth a chariad, i Barbara, fy mhriod; Emyr Wyn, ein mab hynaf, a'i deulu: Catherine, Laura, Emily a Tomos Wyn; ac i Rhys Owen, ein mab ieuengaf, a'i deulu yntau: Nia, Hanna Lois ac Ifan Rhys.

Ac un gair pellach cyn rhoi pen ar y mwdwl, yn arbennig ar eich cyfer chi'r darllenwyr: pob hwyl ar y darllen. A hwyl fawr hefyd ar ddal y moch bach a'u cario'n ddiogel am adre yn y fasged ddillad!

Aeryn Owen Jones
Gwanwyn 2013

Y Blynyddoedd Cynnar

UWCHALED YDI FY milltir sgwâr. Ardal wledig, yr ardal fwyaf gwledig yng Nghymru falle, heb dre yn ganolbwynt iddi, dim ond pentre – Cerrigydrudion. Ond drwyddi rhed un o ffyrdd pwysicaf Cymru, yr A5 sy'n cychwyn ger y Marble Arch yn Llundain ac yn gorffen ym mhorthladd Caergybi. Drwyddi, felly, mi deithiodd rhai o enwogion byd yn eu tro, o ddyddie'r goets fawr hyd heddiw. Ar y ffordd hon un gaeaf gerwin fe ddaliwyd Lloyd George mewn eira, ac ar hyd hon y teithiodd y Frenhines Victoria ar ei ffordd i Iwerddon gan aros am fwyd a gorffwys yng Ngheirnioge Mawr rhwng Glasfryn a Phentrefoelas, y man ucha ar y ffordd o Gaergybi i Lundain.

Rydw i'n falch o'm hardal ac yn gallu ymffrostio nad pasio drwodd yn unig wnaeth enwogion chwaith ond cael eu geni a'u magu yma. Yr enwocaf, mae'n debyg, oedd Jac Glan-y-gors, a anwyd ac a fagwyd yn y tyddyn bychan ar y gwastad rhwng Cerrigydrudion a Glasfryn. Heddiw, cwrs rasio ceir bach a llyn pysgota sy'n meddiannu'r lle, ond yno y gwelodd un o feddylwyr mwyaf y ddeunawfed ganrif olau dydd am y tro cyntaf. Yn dair ar ddeg oed mi aeth i Lundain a dod yn y man i gadw tafarn yno. Radical oedd o, yn cefnogi'r chwyldro Ffrengig, a'i arwr mawr oedd Tom Paine, awdur *The Rights of Man*. Roedd Jac yntau'n credu'n gry mewn hawliau dynol ac fe gyhoeddodd ddau bamffledyn pwysig – *Seren Tan Gwmwl* a *Toriad y Dydd*. Roedd o'n troi llawer ymhlith Cymry Llundain ac yn feirniadol iawn o'r rheini oedd yn troi i'r Saesneg o hyd. Y fo greodd yr enw Dic Siôn Dafydd i ddisgrifio Saisgarwyr a bradwyr i'r iaith – enw sy'n cael ei ddefnyddio hyd heddiw, ac nid heb achos chwaith.

Mi all yr ardal ymfalchïo iddi fagu emynydd: John Roberts, awdur 'Gras, gras, yn genllif grymus ddaeth i ma's' (un o wrthodedigion *Caneuon Ffydd*); cerddor: John Ellis, cyfansoddwr y dôn Elliot; nifer o feirdd, gan gynnwys Thomas Jones, Cerrigellgwm, yr enwocaf ohonyn nhw falle, a llawer o gerddorion a chantorion eraill, gan gynnwys Peleg Williams a Bob Ellis, Pentrefoelas. Mae gwreiddiau sawl person enwog arall yma hefyd, gan gynnwys Syr John Cecil-Williams, un o brif ddynion Cymdeithas y Cymmrodorion, a Betsi

Cadwaladr, y nyrs, a oedd, yn ôl pob sôn, yn llawer tirionach wrth glwyfedigion y Crimea na Florence Nightingale.

Peth peryglus ydi dechre enwi, felly gwell ei gadael yn y fan yna ar ôl enwi un arall yn unig, sef Mary Vaughan Jones, awdures enwog cyfres Sali Mali. Er mai ardal Maenan, Dyffryn Conwy, all ei hawlio, mi fu am gyfnod yn athrawes yn ysgol fach Cwmpenanner, ysgol sy wedi cau ers blynyddoedd. Fe gyfeiriodd hi yn un o'i cherddi – 'Canhwyllau' – at enwau'r tai a'r ffermydd yn y fro, enwau sy'n fiwsig i'r glust fel y mae enw Cwmpenanner ei hun. Dyma'r pennill:

> Roedd gole gwan cannwyll, fin nos, yr hen amser
> Yn ffenest y Gydros ar foel Cwmpenanner,
> A gole yn ffenest Ty'n Braich a Chapele,
> A gole yn Nantfach, pen draw'r unigedde.
> Os bychan oedd gole pob aelwyd, roedd yno
> Ddiwydrwydd hen grefftau a ch'nesrwydd a chroeso.

Ac yma, yn yr ardal wledig arbennig hon, rai cannoedd o droedfeddi uwchlaw'r môr, y treulies i fy holl flynyddoedd, o'm geni yn yr Hafod yn 1939 hyd heddiw. Ffarm fynyddig ydi'r Hafod, tua dwy filltir o Lanfihangel

Glyn Myfyr, o Langwm, o Gerrigydrudion ac o Ddinmael, lle dwi'n byw rŵan. Yr un pellter o bobman, fel y dywedodd Tegla am ei bentre genedigol – Llandegla, sydd naw milltir o Gorwen, o Ruthun, o'r Wyddgrug ac o Wrecsam.

Rhavod efo 'v' nid 'f' ydi'r enw ar y garreg sy ar dalcen y tŷ, ac mae rheswm da am hynny. Foty Arddwyfaen oedd enw'r hen dŷ a'r perchennog oedd yr enwog Michael D. Jones. Fe adeiladodd o a'i wraig, Anne, dŷ newydd yn 1868 a'i alw'n Rhavod gan mai 'v' sydd yng ngwyddor y Wladfa. Cegin, cegin gefn a pharlwr oedd y stafelloedd lawr grisiau gyda charreg las yn llawr i bob un, a seler llawr carreg lle y byddem yn halltu'r mochyn. Roedd pedair llofft i fyny'r grisiau.

Mae dwyn i gof ddyddie plentyndod yn gneud i rywun sylweddoli mor fawr fu'r newid yng nghefn gwlad yn ystod fy oes i. Dwi'n un o chwech o blant, a pheth prin iawn yw teulu mawr felly erbyn heddiw. Roedden ni'n cysgu fesul dau: Tegwyn ac Eifion yn rhannu llofft, fi a Gwyndaf mewn llofft arall, a'm chwiorydd, Glenys a Rhiannon, hefyd yn rhannu. Doedd dim dŵr yn y tŷ ac un o'm tasgau pan oeddwn yn blentyn oedd cario dŵr o'r ffynnon. Byddem yn molchi mewn dysgl fawr ac yn cael bath yn achlysurol mewn hen fath mawr hen ffasiwn. Doedd dim gwres canolog chwaith ac mi fydde'r tŷ yn oer yn y gaeaf ar wahân i'r gegin, a'r parlwr pan fydde tân yno. Roedd gratiau yn y llofftydd ond dwi rioed yn cofio tân yn yr un ohonyn nhw. Un arall o'm tasgau oedd casglu poethwal ar gyfer cynnau tân.

Tŷ bach yng ngwaelod yr ardd oedd hi i ni fel i'r rhan fwya o bobol y wlad yn y cyfnod hwnnw, a doedden ni'n gwybod dim byd gwahanol. Roedd pethe'n wahanol yn y trefi, a dwi'n cofio Anti Lisi Jên oedd yn byw yn Abergele yn dod acw i aros a chael ei dychryn yn arw un noson pan aeth i'r tŷ bach wedi iddi dywyllu. Rhyw anifail neu dylluan oedd yr achos, dim byd mwy sinistr na hynny, ond fel yna roedd pobol y dre pan ddeuen nhw i'r wlad!

Doedd dim trydan acw chwaith, dim ond golau lampau, a channwyll i fynd i'r gwely. Dydw i rioed yn cofio darllen yn fy ngwely a dwi ddim yn gneud hynny hyd y dydd heddiw. Roedden ni'n deulu hapus – Nhad yn ein dysgu i adrodd a Mam yn ein dysgu i ganu. Doedd yr un o'r ddau yn ddisgyblwyr mawr, a dwi rioed yn cofio helynt gartref. Nhad fydde'n torri ein gwalltiau ac roedd ganddo'r offer i gyd. Wel, mi fydde torri gwalltiau pedwar o hogie yn job go ddrud tasen ni'n gorfod talu i rywun, a phres mor brin yn yr oes honno. Roedd Aelwyd Llangwm yn boblogaidd iawn bryd hynny a phan oedden ni'n ddigon hen mi fydden ni'n cyrchu yno'n rheolaidd.

Ond fe ddaeth trydan i'n ffarm ni cyn y rhan fwya o gartrefi'r ardal, a hynny gyda pheiriant oel Lister oedd yn cynhyrchu digon o drydan i oleuo'r tŷ, a phan ddaeth Manweb i'r fro mi gawson ni deledu cyn y rhan fwya o'r ardalwyr hefyd, teledu du a gwyn wrth gwrs. Dwi'n cofio pobol fel Llewelyn Jones, Hendre Arddwyfaen, Thomas Jones, Plasnant, oedd yn perthyn inni, ac Evan John, y Moelfre Mawr, yn dod acw i weld y teledu. Dim ond un peth oedd yn mynd â'u bryd – y bocsio, ac mi fydden nhw'n gyffro i gyd yn gwylio hwnnw.

Yn ogystal â chario dŵr a chasglu poethwal roedd gen i dasgau ar y ffarm hefyd, fel c'rega, sef casglu'r cerrig, pan fyddai cae wedi ei droi neu ei aredig – rhywbeth nad oes gan yr un ffarmwr brin amser i'w neud heddiw, a hen joben ddigon diflas oedd hi hefyd. Yna cael helpu wrth fynd o amgylch cloddiau'r caeau gwair i lenwi bylchau yn y waliau, a finne'n cael gosod y cerrig mân ynghanol y wal – ac mae walio wedi bod yn rhan ohona i byth ers hynny!

Mi fydde cynhaea gwair yn adeg brysur iawn i bob un ohonon ni, ac mi fydde Gwyndaf a fi'n aros yn y cowlas i ddisgwyl y llwyth nesa o wair o'r cae, fi'n ffidlan o gwmpas a Gwyndaf a'i drwyn mewn llyfr. Lawer gwaith, wrth dorri tringlen o wair efo haearn gwair yn y gaeaf i fwydo'r gwartheg y dois i ar draws llyfr wedi ei gladdu a'i wasgu yng nghanol y gwair.

Fel y tyfwn yn hŷn cawn dasgau mwy cyfrifol – torri asgell efo cryman i ddechre nes mod i'n ddigon hen i ddefnyddio pladur. Dwi'n cofio Nhad yn adrodd stori am fistar oedd wedi anfon y gwas i'r cae i dorri asgell ac wedi canmol y bladur wrtho. 'Edrych di ar ei hôl hi, mae hi'n bladur dda, mi aiff ohoni ei hun.' Aeth y mistar i'r ffair a gadael y gwas efo'r asgell. Pan gyrhaeddodd adre, aeth i'r cae i weld sut hwyl oedd y torrwr asgell yn ei gael. Doedd dim ôl torri o gwbwl yno ac wrth iddo fynd trwy'r giât, dyma lais yn galw o ben y clawdd: 'Tendiwch, mistar, mi allith fynd unrhyw funud!'

Gwaith arall i'r bladur fydde 'agor' cae ŷd ar gyfer yr injan fach, hynny ydi torri'r ŷd wrth yr adwy er mwyn gneud lle iddi. Injan geffyl oedd hi ond mi gafodd ei haddasu ar gyfer y Fordson bach pan gyrhaeddodd hwnnw. Tegwyn fydde'n dreifio'r tractor a Dad yn eistedd ar sedd yr injan fach a chribin lydan yn ei law er mwyn gollwng yr ŷd fesul swp fel yr oedd yr injan yn ei dorri. Mi fydde'n rhaid ei rwymo wedyn, cymryd peth o'r ŷd a'i glymu rownd pob swp i greu sgubau – hen waith diflas os oedd asgell yn yr ŷd.

Mi ddaeth pethe'n haws pan ddaeth y beindar, ac mi fydden ni'n codi'r sgubau bob yn bedair, weithie chwech, ac os bydde'r tywydd yn ddrwg, yn gneud bychod yn y cae, sef sypiau mwy o sgubau er mwyn i'r gwynt chwythu drwyddyn nhw a'u sychu. Ambell waith mi fydde Nhad yn penderfynu gneud tas ŷd yn y cae, a'r adeg honno roedd hi'n hollbwysig ei bod yn cael ei thoi yn iawn efo llafrwyn a bod y rhaffau gwellt yn ei hangori'n saff wrth y pegiau gneud yn y ddaear.

Efo chwech o blant i'w magu roedd Mam yn gorfod gweithio'n galed ac rydw i'n cofio y bydde Mrs Jones, Pen y Gaer, ffarm gyfagos, yn dod i'w helpu ddiwrnod golchi, a finne'n cael cydio yn un pen i'r fasged wrth gario'r dillad glân at y lein ddillad oedd wedi ei gosod ar ben y boncyn er mwyn dal y gwynt. Gwaith y gwragedd ar y ffermydd hefyd oedd corddi, ac mi fyddwn i a'r plant erill wrth ein boddau yn cymryd ein tro i droi'r fudde, gan edrych ymlaen at weld y gwydryn bychan ar ben y fudde yn hollol glir; roedd hynny'n arwydd fod yr hufen wedi troi'n fenyn. Mam yn ei godi o'r fudde wedyn a'i roi ar y bwrdd menyn lle roedd roler un pen iddo. Roedd yn rhaid rowlio'r menyn er mwyn cael y llaeth ohono. Yna, ei roi yn y noe a defnyddio'r dwylo neu'r padiau menyn i'w drin.

Wedyn, mi fydde'n cael ei bwyso fesul pwys neu hanner pwys cyn gwasgu'r brinten addurniedig ar ben pob pwys, ac un arall ar gyfer yr hanner pwysi. Roedd gan bob ffarm ei phrinten arbennig ei hun, fel roedd gan bob un hefyd ei nod clust arbennig ar gyfer y defaid. Amlinelliad o ddraig oedd ar un brinten a blodyn ar y llall.

*   *   *

Roedd yna rai dyddie bob blwyddyn y bydden ni'n edrych ymlaen yn fawr atyn nhw, fel diwrnod lladd mochyn a diwrnod dyrnu.

Un o'r enghreifftiau gorau o gymdogaeth dda a gafwyd erioed yng nghefn gwlad oedd diwrnod dyrnu. Pan ddeuai'r dyrnwr i ffarm arbennig roedd angen nifer fawr o bobol i neud yr holl waith ac mi fydde pob ffarm yn y gymdogaeth yn helpu'i gilydd bryd hynny, rhywun o wyth ohonyn nhw'n dod i'r Hafod. Roedd dau berson yng ngofal yr injan ei hun ac injan Tŷ Ucha, Llanfihangel, fydde'n dod acw. Rhaid wedyn oedd cael dau neu dri ar y cowlas i godi'r ŷd i ben yr injan, mwy os oedd 'eil', sef darn ychwanegol at y cowlas, wedyn un i dorri'r rhwymyn – yr ymynnod – ar y sgubau ac un i'w bwydo i grombil y peiriant. Dau wedyn i gario'r gwellt, dau neu dri i gario'r pynnau ŷd i'r granar ac un neu ddau i hel y manus – gryn ddwsin i bymtheg o bobol i gyd.

Roedd gneud y gwahanol jobsys ar ddiwrnod dyrnu yn arwydd o dyfu a mynd yn hŷn. Job y plant yn amal fydde cario'r manus, y stwff mân oedd fel rhisgl am yr ŷd ac a fydde'n cael ei chwythu allan o fol yr injan ddyrnu. Job chwyslyd a phigog oedd honno. Yna, fel yr aem yn hŷn cario'r gwellt, a phan fydden ni'n cyrraedd ffarm y dyrnu y cwestiwn cynta fydde – 'Oes gen ti bicwarch i gario'r gwellt?' Doedd o ddim yn waith iach iawn bob amser gan fod llwch ofnadwy yn codi ambell dro os oedd hi wedi bod yn gynhaea sâl. Yna, uchelgais pob hogyn ifanc, am wn i, oedd cael torri'r ymynnod, sef y rhwymyn ar bob ysgub, ac roedd hi'n hawdd iawn cael anaf i law neu fysedd os na fyddech chi'n ofalus gan fod angen cyllell finiog i neud y gwaith. Mi fydde hi'n job mor bwysig fel y bydde pobol yn gofyn, wrth drafod diwrnod dyrnu ar ffarm arbennig, 'Pwy sy'n torri'r 'mynnod?'

Arwydd eich bod yn magu cyhyrau wedyn oedd cael eich dewis i gario'r pynnau, i gario'r sacheidiau o rawn o'r gadlas i'r granar, taith go bell mewn ambell le, a hynny gan amla'n golygu dringo grisiau carreg i'r granar. Roedd angen cryfder a stamina i neud y gwaith hwnnw.

Y cas beth gen i fydde bod ar y das neu'r cowlas yn codi'r sgubau i ben y dyrnwr. Fel y bydde'r cowlas yn gwagu mi fydde'n fyw o lygod, llygod mawr nid llygod bach, yn dod i fyny efo'r sgubau ambell dro ac yn chwarae o gwmpas eich coesau. Yn ystod y rhyfel roedd yn rhaid rhoi netin mân o gwmpas y lle dyrnu er mwyn dal y llygod ac mi fydde pawb ar eu holau efo pastynau, a'r cŵn yn rhedeg o gwmpas yn cyfarth yn wyllt ac yn gyffro i gyd, ond cof plentyn bach sy gen i am hynny.

Roedd diwrnod dyrnu yn dechre'n gynnar, gan fod pob ffarm, bron, â'r clociau awr ymlaen. Ond uchafbwynt y dydd oedd y cinio. Doedd dim byd tebyg i ginio diwrnod dyrnu. Mi fydde 'na hen siarad a thynnu coes a chael hwyl, a'r cinio yn ginio dydd Sul a phwdin reis wedyn wedi ei goginio dros nos mewn dysgl bridd, a phawb yn claddu fel tase fory ddim yn bod. Ia, diwrnod i'w gofio oedd diwrnod dyrnu, diwrnod sy wedi diflannu yn niwl y gorffennol efo dyfodiad y dyrnwr medi a'r arfer o dyfu ŷd wedi lleihau yng nghefn gwlad.

Roedd cymdogaeth dda yn cael ei gweithredu yn nhymor y cneifio hefyd. Dwi'n cofio mynd i Aeddren i gneifio ac roedd tua tri dwsin ohonom yno rhwng y rhai oedd yn dal, yn didoli, yn cneifio ac yn lapio.

Dau oedd yn bresennol y diwrnod hwnnw oedd Robert Ellis, Llechwedd Figyn, ac Owen Hughes, Pen y Gob. Y fo oedd yn cneifio a Roberts Ellis yn dal. Dau gymeriad, bob amser yn tynnu ar ei gilydd, a'r naill yn ceisio cael y gorau ar y llall o hyd. Roedd y defaid wedi cael eu hel i mewn i'r bing ac roedd gormod ohonyn nhw mewn lle cyfyng ac mi fygodd un i farwolaeth.

Be wnaeth Robert Ellis ond rhoi'r ddafad farw i Owen Hughes i'w chneifio heb ddeud dim wrtho. Dechreuodd Owen Hughes ar ei bol ac roedd o'n cael andros o drafferth. Tydi hi ddim yn hawdd cneifio dafad farw, ond wnaeth o amau dim. Fe glymodd ei thraed wedyn a chneifio'r gweddill ohoni trwy drafferth mawr, ac yna datod y rhwymyn oedd am y coesau er mwyn ei gollwng yn rhydd. Wrth gwrs, mi ddisgynnodd y ddafad yn swp i'r llawr o'i flaen ac mi 'chrynodd am ei fywyd, gan feddwl ei fod o wedi ei ladd, a'r holl gynulleidfa – y tri dwsin ohonom – yn gwylio'r olygfa a chael hwyl am ei ben. Lle peryg ar y naw oedd y ffarm ar ddiwrnod dyrnu a diwrnod cneifio. Roedd yn rhaid i chi fod yn effro i bob math o driciau!

Roedd gan Arddwyfaen gynefin defaid ar Fynydd y Berwyn, ac felly hefyd Moelfre Fawr, Cerrigydrudion. Adeg cneifio'r defaid byddai Evan John, Moelfre Fawr, yn mynd efo Evan Lloyd Jones i gneifio gan fod yna ffeirio dwylo a chydweithio'n digwydd rhwng y gwahanol ffermydd.

Anti Kate oedd yn ffarmio Moelfre bryd hynny ac roedd ei nai Evan John wedi dod yno i fyw ati a'i helpu. Ar ddiwrnod mawr y cneifio, byddai raid i Evan John gychwyn yn fore iawn, wrth gwrs, am y Berwyn, a bryd hynny byddai Dwalad Williams, y Slendy (yr Elusendai), Cerrigydrudion, yn dod i Moelfre i odro.

Roedd nam ar un o goesau Dwalad Williams, a lluchiai ei goes i'r ochor wrth gerdded.

Y bore arbennig yma roedd y lorri laeth wedi cyrraedd cyn i Dwalad druan orffen godro. Rhuthrodd Anti Kate, orau gallai, at y ffordd fawr a rhoi cildwrn i'r gyrrwr, a gofyn iddo aros am ychydig. Toc, fe welwyd Dwalad Williams yn brasgamu i lawr buarth Moelfre, a'r gasgen, neu'r can llaeth, yn y ferfa. Ond, yn ei frys, lluchiodd ei goes un cam yn ormod, collodd ei falans, a chwympodd y can llaeth nes bod y llaeth yn llifo dros bob man. Dyna pryd y clywyd llais Dwalad Williams yn gweiddi ar yrrwr y lorri laeth: 'Daliwch i fynd, mae popeth drosodd rŵan!'

Ffarm gymysg oedd yr Hafod, yn cadw moch, ieir, defaid a gwartheg, ac mi fydden ni'n godro rhyw bymtheg – job go hir efo llaw – ac roedd yn rhaid codi'n gynnar. Mi fydde'r lorri laeth yn dod tua canol y bore ac yn yr haf roedd yn rhaid ceisio cadw'r llaeth yn oer cyn iddi ddod. I'r ffatri laeth yn Felin Rug, ger Corwen, y bydde'r llaeth yn mynd, ac o dro i dro byddai 'testar' yn dod heibio i destio'r llaeth i sicrhau bod ei ansawdd yn iawn. Mi fydde gan y 'testar' yr hawl i gymryd llaeth o'r caniau ar fin y ffordd i'w destio hefyd, ac fe ddaliwyd sawl ffarmwr o dro i dro yn rhoi dŵr yn ei laeth, ond nid o'r ardal hon. Mae'r stand llaeth wrth y ffordd o hyd ond mae'r godro wedi hen ddod i ben.

Diwrnod arbennig arall yn ein calendr, yng nghalendr pob ffarm a thyddyn, oedd diwrnod lladd mochyn. Mor arbennig, yn wir, fel y daeth 'diwrnod lladd mochyn' yn idiom yn y Gymraeg am ddiwrnod pwysig mewn unrhyw faes.

Mi fydden ni yn yr Hafod yn cadw dau fochyn at eu lladd, ac mi fyddwn i, fel y rhan fwya o hogie'r ffermydd, yn chwilio am ryw esgus i aros gartre o'r ysgol ar ddiwrnod y lladd.

Dafydd Roberts, Ty'n Celyn, Llanfihangel, oedd y lladdwr yn ein hardal ni, ac mi fydde'n cerdded bob cam o Lanfihangel a'r taclau angenrheidiol i gyd ganddo fo. Roedd pawb yn edrych ymlaen am ei weld yn dod – pawb ond y mochyn! Âi yn syth i'r cwt moch a'r rensen yn barod yn ei law, a'r cwlwm dolen arni yn barod i'w llithro i geg y mochyn.

Cyn pen dim mi fydde'r mochyn ar y bwrdd – rensen am y traed blaen, rensen arall am y traed ôl a bachyn yn ei drwyn, a'r mochyn druan yn gwichian dros y wlad. Yna cyllell yn ei wddw a bwced i ddal y gwaed ar gyfer

gneud pwdin gwaed. Ar ôl iddo fo farw mi
fydde Dafydd Roberts yn defnyddio sgrafell i
grafu'r blew oddi arno cyn ei godi i hongian
ar y gambren a'i agor. Ac ar ôl ei drin byddai'n
gosod stent i gadw'r corpws yn agored. Ac felly
y bydde fo dros nos.

Drannoeth fe ddeuai yn ei ôl i dorri'r
mochyn, gan gychwyn efo'r pen, a Mam wedyn
yn gneud brôn efo fo mewn clamp o ddysgl
fawr, plât ar ei ben a charreg ar ben hwnnw er
mwyn ei wasgu i lawr. Ein gwaith yn ystod y
dyddie wedyn fydde mynd â darnau o'r mochyn
i wahanol gymdogion, asen i hwn, blaen cefn
i'r llall. Ac yna mi fydden ni'n cael ein talu 'nôl
pan fydde'r ffermydd eraill yn lladd. Enghraifft
arall o gymdogaeth dda.

Mi fydde darnau mwya'r mochyn yn mynd
i'r seler i'w halltu. Mi fydden ni'n cael solpitar a
chalen o halen ac yn ei rwbio i mewn i'r cig gan
gymryd gofal arbennig wrth yr asgwrn. Roedd
y seler yn oer, cystal ag unrhyw oergell.

Wedi i'r halen neud ei waith mi fydde'r
darnau yn cael eu gosod ar fachau yn nistiau'r
gegin, ac rydw i'n cofio mai hallt oedd y bacwn
a phrin iawn oedd y cig coch, ac mi fydde pawb
yn edrych ymlaen at gael dechre ar yr ham.
Os na fydde'r mochyn wedi ei halltu'n iawn,

ambell dro mi fydde cynrhon yn disgyn ohono ar y llawr!

Cymro prin iawn ei Saesneg oedd Dafydd Roberts, a chan fod y trigolion i gyd yn Gymry doedd arno ddim angen yr iaith fain. Ond rywbryd mi ddaeth teulu o Saeson – y Smiths – i fyw yn un o'r ffermydd ac mi aethon nhw ati i gadw moch. Un diwrnod mi aeth Mr Smith at Dafydd Roberts a gofyn iddo fynd draw yno i ladd ei fochyn. 'I will come and kill you tomorrow,' meddai Dafydd Roberts wrtho. Yna mi gofiodd ei fod wedi penderfynu lladd ei fochyn ei hun drannoeth ac felly dyma ddeud wrth Mr Smith: 'I am very sorry, I can't come and kill you tomorrow, I want to kill myself first. I am going to kill myself in the morning, then I will come and kill you in the afternoon!'

Dwi wedi clywed sawl fersiwn o'r stori yna oddi ar lwyfannau o dro i dro, ac yn ôl pob storïwr mae hi'n wir bob tro. Ond mi alla i dystio, â'm llaw ar fy nghalon, ei bod yn berffaith wir yn hanes Dafydd Roberts.

*   *   *

Roedd y capel yn chwarae rhan bwysig iawn yn ein bywyd fel teulu. I gapel Cefn Nannau yr aem, capel y Presbyteriaid yn Llangwm, a cherdded yno y byddem, i lawr o'r Hafod i Dŷ Cerrig, yna croesi'r A5 ac ar draws y caeau ac i fyny'r llwybyr hyll, croesi ffordd arall ac i fyny am y capel. Wn i ddim pam y gelwid rhan o'r llwybyr yn llwybyr hyll, falle oherwydd yr afon fechan oedd yn llifo'n gyfochrog a bod ynddi lyn tro. Byddem yn amal yn cael ein siarsio i beidio mynd yn agos at hwnnw.

Byddai'r capel yn llawn – rhywun ym mhob sedd a chanu da yno: Ifan Lloyd Jones, Arddwyfaen, ar y piano; Mrs Jones, Ystrad Bach; Mrs Jones, Tŷ Newydd, neu Mam ar yr organ, ac yna Glenys fy chwaer, gadwodd y traddodiad teuluol yn fyw, ac Ifor Hughes, Ystrad Fawr, a John Jones, Ystrad Bach, yn dechre canu. Dilynwyd hwy gan Robert Gruffydd Jones, Disgarth Isa, Gwilym Watson, Ystrad Bach, ac Eirwen Jones, Hafod. Roedd hi'n gapel arnom dair gwaith y Sul ac yn amal mi fydde'n traed ni yn wlyb domen ymhell cyn inni gyrraedd. Sut na chawson ni i gyd riwmatig, wn i ddim.

Dwi'n cofio fel y bydde Nain yn colli ei gwynt wrth ddringo ar y ffordd adre o Dŷ Cerrig i fyny am yr Hafod, ac yn eistedd ar y gamfa i gael ei gwynt ati. Beth ddwedai hi tase hi'n clywed synau'r Sul erbyn hyn, wn i ddim, achos pan gawson ni dractor yn yr Hafod mi ddwedodd y base'n well inni fynd â'r llaeth i'r ffordd efo'r gaseg ar y Sul gan fod y tractor yn gneud cymaint o sŵn!

Nid yn y capel yn unig yr oedd y cymdeithasu'n digwydd ar y Sul, roedd o'n ddiwrnod 'mynd i de' hefyd, ac mi fydde Thomas Albert Roberts, Fron Isa, a'i wraig yn dod acw i de, a Dad a Mam yn mynd yno a hynny am yn ail â'i gilydd. A'r cyfan yn digwydd ar droed, wrth gwrs.

Un o arferion yr oes oedd fod y plant yn deud adnodau yn y bregeth ac yn y seiat nos Fawrth. Cofiaf glywed am ddau o hogie Cadwst, Llandrillo – Anaeryn a Brynle – yn deud adnod, Anaeryn i ddechre, ac yna daeth y Gweinidog at Brynle a'i holi, 'Oes gen ti adnod?' 'Nagoes,' meddai hwnnw, 'mae Anaeryn wedi ei dwyn.'

Capelwyr selog oedd Mr a Mrs John Wyn Hughes oedd yn cadw'r post yn Llangwm. Byddem yn cerdded yno bob Sadwrn i nôl neges ac i nôl y bara. Talu bob mis fydden ni a chael tun mawr o ffrwythau yn ddisgownt bron bob tro, a pheth amheuthun oedd hynny ym mlynyddoedd y dogni drwy gyfnod y rhyfel ac wedyn. Siop Tegla oedd ei henw, ac roedd o'n lle difyr dros ben, llawer o'r cymdogion yn dod yno am sgwrs ac i drafod pregethau'r Sul cynt. Roedd John Wyn Hughes yn flaenor yng Nghefn Nannau a gofynnwyd iddo unwaith roi emyn i derfynu'r cyfarfod gweddi, a phan gododd o ar ei draed dyma fo'n deud: 'Rhif yr emyn ydi cant a grôt!'

Mi fydden ni wrth ein boddau yn mynd i'r ysgol Sul yn blant a hynny, mae'n siŵr, am fod yr athrawon yn rhai mor glên – Mrs Jennie Owen, Bryn Nannau; Mrs Jennie Jones, Fron Llan, ac yn ddiweddarach Mrs Jane Evans, Gwern Nannau, a Mrs Jane Hughes, Tŷ Cerrig. Mi ddysges i lawer ar fy nghof yno, yn adnodau ac emynau, a'r dysgu hwnnw, ar wahân i ddim byd arall, yn ddisgyblaeth ardderchog ar gyfer yr holl ddysgu ar y cof dwi wedi ei neud oddi ar hynny.

Y Parch. J. R. Jones ydi'r gweinidog cynta dwi'n ei gofio. Bu yn y fro am ddeugain mlynedd, yn byw yn Llanfihangel ac yn weinidog yno ac ar gapel Cefn Nannau, Llangwm. Mi fydde'n cerdded y pedair milltir o'i gartref i'r capel yn Llangwm, ac un nos Sul ar ôl cyrraedd adre mi feddyliodd ei fod wedi gadael y capel heb ddiffodd y lampau. Mi gerddodd yn ei ôl bob cam rhag ofn, wyth milltir i gyd, a hynny ganol nos!

I Lanfairfechan yr aeth i ymddeol ac ar ôl trio fy mhrawf gyrru ym Mangor, a methu, mi aethon ni draw i'w weld. Roedd o wrth ei fodd yn gweld rhywun o'r hen ardal ac mi ddymunodd y byddwn i'n methu fy mhrawf lawer gwaith er mwyn iddo gael mwy nag un ymweliad gennym.

Y Parch. David Poole oedd y gweinidog nesa, ac roedd ganddo fo gar, ond doedd gynnon ni 'run, nes y daeth Tegwyn, fy mrawd hyna, yn ddigon hen i ddreifio. Un llygad oedd gan David Poole ac unwaith mi gafodd fy nhad wahoddiad i fynd efo fo i rywle. Ar y ffordd mi ddangosodd ei hen gartre i Nhad a bu bron i hwnnw gael harten, gwybod fod y llygad da yn edrych ar y tyddyn a'r llygad na welai drwyddi yn edrych ar y ffordd!

Mi ddaeth sawl gweinidog wedyn: y Parchedigion Huw Roberts, Harri Parri, Idwal Jones, Ifan Roberts, Meurig Dodd, Geraint Roberts a William Davies. Mi fyddwn i'n mynd i'r seiat yn rheolaidd ac roedd yn rhaid bod yno mewn pryd i Idwal Jones. Mi fydde'n dechre pob cyfarfod ac oedfa ar y dot, waeth pa mor chydig oedd yno, cyn belled â bod organyddes yno, ac mi fydde wedyn yn gwenu'n glên ac yn awgrymog ar bawb ddeuai i mewn yn hwyr. Mi fydde gynnon ni gyfarfod gweddi ryw ben bob Sul hefyd a'r blaenoriaid yn cymryd rhan yn eu tro, rhai ar eu traed a rhai ar eu gliniau.

Roedd dau gapel Annibynnol yn Llangwm, y Groes a Gellïoedd, ond chydig iawn oedd yn digwydd rhwng yr enwadau, a chydig iawn o gyfarfodydd undebol dwi'n eu cofio.

Mae'r capel yn dal yn bwysig. Dwi'n flaenor yma yn Ninmael ers deuddeng mlynedd a Barbara'r wraig yn organyddes yno. Criw bach yden ni, ond dan arweiniad Eifion Tŷ Tan Dderwen, Eifion Davies, mae canu da yma bob amser.

*   *   *

I Gerrigydrudion yr awn i'r ysgol gynradd, er mai i Langwm yr aeth fy mrodyr hynaf, Tegwyn ac Eifion, gan ddechre yno pan oeddwn i'n bump oed; cerdded i lawr i'r ffordd fawr a dal y bws Crosville yno, at Miss Winifred Jones – Miss Jones Teacher, un glên dros ben, ac roedd ganddon ni i gyd feddwl mawr ohoni. Wnaeth yr ysgol ddim argraff fawr arna i, ond mi gofiaf fod llawer o blant yno a bod y dosbarth yr oeddwn i ynddo yn llawn, a dwi'n cofio mai yn Saesneg y dysgem y tablau a bod yn rhaid codi'n fore gan fod tipyn o ffordd i gerdded at y bws. Un peth wnaeth argraff arna i oedd mynd at y deintydd, i hen sied to sinc ym mhen arall y pentre, ac rydw i'n cofio un hogyn yn gwrthod mynd a'r prifathro yn rhedeg rownd y bwrdd ar ei ôl.

Ysgol Dyffryn Conwy yn Llanrwst oedd hi o un ar ddeg ymlaen ac roedd hi'n daith hir o dri chwarter awr yno gan fod y bws yn mynd trwy Gapel Garmon. Yno mi ges i gyfle i neud yr hyn wnaeth pob plentyn erioed am wn i, sef dwyn falau ac eirin. Yng ngwaelod cae chwarae'r ysgol roedd perllan fawr a'r coed yn pwyso drosodd i'r cae. Lle gwirion i gael perllan, a deud y gwir, gan y bydden ni'n llenwi ein pocedi efo falau ac eirin. Gan fod y cae ar draws y ffordd i'r ysgol a Swyddfa'r Heddlu yn ymyl, mi fydde plismon yn dod yn amal i'n gwylio'n croesi, a phan ddigwydde hynny mi fydden ni'n cuddio'r ffrwythau yng ngwaelod y cae.

Yn Llanrwst y mae ffarm Dyffryn Aur ac oddi yno y caem gywion bach. Fe wnaed trefniant un diwrnod i Gwyndaf fy mrawd a finne i fynd â dau gant o gywion deuddydd oed adre efo ni ar y bws ysgol. Ond y diwrnod hwnnw roedd hi wedi bwrw eira'n drwm ac roedd lluwchfeydd

ym mhobman, a chael a chael wnaethon ni –
a'r cywion – i gyrraedd adre'n saff!

Doeddwn i ddim yn sgolor selog; adre y
mynnwn i fod, yn enwedig pan oedd hi'n
dywydd braf a Nhad yn mynd i ddal cwningod.
Yn ystod fy nhymor ola yn Ysgol Ramadeg
Llanrwst fe ddalson ni ddigon o wningod i
dalu am chwalwr tail newydd. Yr adeg i ddal
cwningod oedd pan fydd 'r' yn enw'r mis, hynny
ydi o Ragfyr i Ebrill, ac roedd gan fy nhad
ddwy ffordd o'u dal, eu ffereta a'u maglu.

Ffereta oedd anfon ffured i lawr i ddaear y
cwningod, a gosod rhwydi ar bob twll arall.
Byddai'r cwningod yn dychryn wrth gael eu
hymlid gan y ffured, yn rhuthro allan ac yn
cael eu dal yn y rhwydi. Mae'n swnio'n ffordd
syml o gael gafael ar y cwningod, ond roedd
yna drafferthion yn amal. Byddai ffured yn
cornelu cwningen yn y ddaear ac yn gwrthod
dod allan. Bryd hynny mi fydde'n rhaid turio
ar ei hôl, ac roedd rhai o ddaearau'r cwningod
yn rhai dwfn iawn. Maglu oedd gosod maglau
ar 'ryn' cwningen, nid yn rhywle rywle arni
chwaith. Roedd yn rhaid astudio'r 'ryn' yn
ofalus gan fod cwningen yn bownsio mynd pan
fydd yn rhedeg, a rhaid oedd sylwi lle roedd hi
yn landio ar y ddaear a lle roedd hi'n sboncio

Dad a Mam – John Hugh
ac Elizabeth Jones

Tad a Mam Barbara
– Ceiriog a Clara Jones

Fy nain, Margaret Owen, efo fy nwy chwaer, Glenys a Rhiannon

Fy mam yn torri'r gacen yn ei pharti pen-blwydd yn 80 oed

Fi – yn flwydd a hanner

Medi 9fed 1967.
Ein priodas yng
Nghapel Llywarch,
Llanarmon
Dyffryn Ceiriog

I ddau annwyl eiddunaf – ogoniant
   Y gwanwyn tyneraf;
  Hedd yr awel dawelaf
  A gwynfyd yr hyfryd haf.

                Robin Gwyndaf

Barbara, ei thad a'i mam a'i brawd Ellis y tu allan i'w cartref, Swch Cae Rhiw, Llanarmon

Yr Hafod

Y Teulu: Rhes gefn – Fi, Tegwyn, Eifion, Gwyndaf. Rhes flaen – Rhiannon, Dad, Mam, Glenys

Fi yn flwydd – yn cropian ac yn cerdded

Gwyndaf a fi ym mlwyddyn yr eira mawr 1947

Barbara, Emyr, fi a Rhys – teulu bach Gaer Gerrig

Cynhadledd Llên Gwerin ym Mhlas Tan y bwlch – Gwyndaf, Glenys, fi, Rhiannon, Eifion a Tegwyn

Fi a Gwyndaf efo'r setl bren
yn yr Hafod

Tegwyn ar y tractor cynta
ddaeth i'r Hafod – Ffordson
Bach

Barbara a fi – flynyddoedd maith yn ôl, cyn inni nabod ein gilydd

Medi 2002. Aelwyd Llansilin yn 50 oed. O'r chwith – Rhoswen Ellis, Elfed Lewis, Buddug Lewis, Emrys Ellis, Barbara, fi a Goronwy Jones

Capel Dinmael a'r ysgol gynta. Tynnwyd tua 1842. Roedd 42 o blant yn yr ysgol bryd hynny

Cneifio yn Aeddren, Gellïoedd, yn y chwedegau cynnar. Fi mewn beret du ymhlith y bechgyn

Hela llwynogod yn ardal Tŷ Nant yn y tridegau. Pedwar o ffrindiau penna Dad – O'r chwith: John Ifan Dafis, Siop Ucha, Llawrybetws; Wmffre Wmffres, Blodnant; W E Williams, Prifathro Ysgol Dinmael 1928–1946; Dafydd Dafis, Llys Dinmael Ucha

Priodas Rhys a Nia. Emyr Wyn yw'r gwas

Tegwyn ac Eifion, fi a Gwyndaf wrth ffynnon yr Hafod, Mai 1945

Emyr Wyn, y mab hyna, a Hefin Owen yn mynd i ysbryd y darn ar lwyfan cyngerdd Ysgol Dinmael

Parti Cydadrodd Aelwyd Llangwm, hyfforddwyd gan T Vaughan
Roberts. O'r chwith: Meirion Roberts, Fron Isa; Eifion Jones, Yr Hafod;
Gerallt Owen, Tŷ Newydd; Aerwyn Jones, Aeddren Isa; fi; Aelwyn Owen,
Glanrafon; Tecwyn Jones, Yr Hafod; John Trebor Roberts, Fron Isa

Dyma lle bu
dechre'r daith
i ymwneud â'r
Pethe

Barbara a fi efo Howell Roberts (Gwyddelwern), un o breswylwyr Cysgod y Gaer, Corwen, ar achlysur ei ben-blwydd yn 98 oed

Côr Plant Llangwm (Arweinydd Ruth Winnie Jones, Ty'n Ronnen) yn cystadlu yn yr Eisteddfod, 1952–4

Gwrych wedi ei blygu gen i o gwmpas y Talwrn Ymladd Ceiliogod yn yr Amgueddfa Werin yn Sain Ffagan 2000

Cael fy nerbyn i'r Orsedd gan Selwyn Iolen yn Eisteddfod Genedlaethol Sir y Fflint a'r Cyffiniau 2007

Y meibion, Rhys ac Emyr Wyn, yn bencampwyr snwcer Dinmael

drwy'r awyr. Yn y fan honno yr oedd gosod y fagl ac wrth neidio byddai'n cael ei dal yn y weiren a'i chrogi.

Mae'r ddwy ffordd yna o ddal wedi eu gwahardd erbyn heddiw, ond rhaid cofio bod cwningod yn bla erstalwm cyn i afiechyd y *myxomatosis* leihau eu nifer yn sylweddol. Gallent fwyta cae cyfan o ŷd o'i gŵr ac nid ar ein ffarm ni yn unig y byddai Nhad yn eu dal ond ar ffermydd eraill hefyd yn ochrau Llanfihangel Glyn Myfyr – Maesgwyn, Bryn Llus, Llechwedd Gaer, Foty Llechwedd a Than Gaer. Byddwn yn cael helpu Nhad i baratoi'r maglau gan ddefnyddio pren collen i lunio'r bachyn fydde'n dal y fagl rai modfeddi uwchben y ddaear.

Nid dal y cwningod oedd unig ramant yr helfa, ond mynd â nhw yn y fan efo Tegwyn neu Eifion, fy mrodyr hŷn, yn dreifio i faes parcio tafarn y Cymro – y Goat ym Maerdy – i gyfarfod Dafydd Williams, Llandegla; Dei Castell oedd yn prynu'r cwningod er mwyn eu gwerthu yn Lerpwl, ac mi fydde'n rhoi rhyw swllt a thair yr un amdanyn nhw, arian derbyniol iawn bryd hynny.

Doedd pob cwningen ddim yn cael ei gwerthu; roedd cwningod yn rhan bwysig o'n cynhaliaeth hefyd, a Mam yn gneud cinio blasus, cwningen wedi ei rhostio gyda llysiau a thatws o'r ardd. Cwningen neu sleisen o gig moch oedd yr arlwy arferol i ginio yn y cyfnod hwnnw.

Ie, amser braf oedd amser dal cwningod, colli ysgol neu beidio, a falle mai'r frawddeg sy'n crynhoi orau fy amser yn Ysgol Llanrwst ydi'r frawddeg ar fy adroddiad ola – y Riport fel roedd o'n cael ei alw, brawddeg gan Mr Parry, y Prifathro: *Conduct – Good when present!*

* * *

Roedd dyddie adre o'r ysgol ar adegau pwysig fel diwrnod dyrnu adre ac mewn ffermydd eraill wedi fy mharatoi rywsut ar gyfer bywyd ar ôl gadael yr ysgol. A gadael wnes i yn bymtheg oed a mynd yn was i Tŷ Gwyn, Llangwm, at Mr a Mrs Emlyn Davies, gan nad oedd digon o waith gartre am fod Tegwyn ac Eifion wedi gadael o mlaen i.

Ffarm gymysg oedd Tŷ Gwyn, yn cadw defaid, gwartheg, moch – a dau faedd! A dydi baedd ddim yn greadur i chwarae efo fo. Mi fydde hychod yn dod yno at y ddau o gylch eitha eang, ac roedden nhw'n rhan bwysig o incwm y ffarm. Dwi'n cofio unwaith fod rhywbeth yn bod ar un o'r ddau ac fe fu'n rhaid cael y ffariar ato fo. Ffariar wedi ymddeol, Sais, rhyw fath o locwm ddaeth y diwrnod hwnnw, un eitha hen a heb fod yn dda iawn ar ei draed. Doedd neb o gwmpas y buarth pan gyrhaeddodd o a'r hyn wnaeth o oedd mynd i mewn i'r cut. Yn syth ar ôl ei weld o, dyma'r baedd ar ei draed ôl a golwg wyllt, fygythiol arno fo. Cael a chael wnaeth y ffariar i gyrraedd y drws cyn i'r baedd gael gafael arno.

Dyma Mrs Davies yn anfon un o'r genethod i fyny i nôl Ifor, y mab hyna, a finne i lawr o'r caeau, a phan gyrhaeddson ni'r buarth dyna lle roedd y ffariar yn eistedd yn ei gar a'i wyneb yn wyn fel y galchen. Dwi'n ofni mai chwerthin wnaethon ni'n dau pan glywson ei stori, ond doedd o ddim yn gweld y peth yn ddoniol o gwbwl, a dyma fo'n deud yn chwyrn, 'It's no laughing matter.'

Ac mae'n debyg nad oedd o ddim. Mi allse fod wedi ei frifo'n ddrwg neu hyd yn oed ei ladd. Tydi anifeiliaid ffarm ddim yn bethe i chwarae efo nhw, a tydi gwaith ffarm ddim heb ei beryglon mawr chwaith.

Pan oeddwn i'n ddwy ar bymtheg a hithe'n gynhaea ŷd roeddwn i ar y gribin ac Emlyn

Davies yn dreifio'r tractor; fe redodd y tractor i lawr y llechwedd ac mi ges inne fy nhaflu oddi ar y sêt a chael fy llusgo ar hyd y ddaear o flaen dannedd y gribin. Damwain fawr a mhen i'n bownsio i fyny ac i lawr yn erbyn y ddaear nes mod i'n hanner anymwybodol. Roedd Edward Davies newydd ddod yn ddoctor newydd i Uwchaled at Doctor Ifor Davies, a'r ddamwain ges i yn Nhŷ Gwyn oedd un o'r achosion cynta gafodd o. Dwi'n cofio mynd cyn belled â Bryneglwys ar fy ffordd i'r ysbyty, ond yna'n cofio dim nes gweles i Dad wrth fy ngwely. Mi fues i'n anymwybodol am ddyddiau gan mod i wedi brifo mhen yn ddrwg, ac roedd yn bwysig mod i'n gorwedd yn llonydd rhag i rywbeth ddigwydd i'r ymennydd. Mi fues i yn yr ysbyty yn Wrecsam am beth amser ac wedyn adre am bedwar mis cyn dychwelyd i Dŷ Gwyn. Sylw sydyn Doctor Davies achubodd fi y diwrnod hwnnw, yn ôl y sôn. Mi fuon ni'n lwcus iawn yn Uwchaled yn cael gwasanaeth dau ddoctor mor arbennig.

Dri mis yn ddiweddarach roedd Emlyn Davies wedi troi'r tarw Friesian allan o'i gut gan ei fod wedi malu'r rhesel a'r cafn bwyd, ac roedd angen eu trwsio. Mi ddengodd y tarw i fyny'r buarth ac mi es inne ar ei ôl i gael y blaen arno cyn iddo fynd i'r caeau. Ond er bod ganddo fo fasg ar ei wyneb rhoddodd ei gyrn oddi tana i a'm lluchio i'r awyr fel taswn i'n bêl rybar. Mi welodd Emlyn Davies fi'n hedfan trwy'r awyr, ac mi ddisgynnes i'r ffos a chodi ar fy nhraed a'i heglu hi odd'no gynted medrwn i a thros y giât i'r sied wair. Cael a chael oedd hi y diwrnod hwnnw hefyd, ond dwi yma o hyd i adrodd yr hanes!

Roedd Emlyn Davies, Tŷ Gwyn, yn ddyn gwybodus iawn ac yn ddarllenwr mawr. Mi fydde'r postmon yn dod â'r *Daily Post* iddo fo bob dydd ac ar ôl gorffen godro a chael brecwast, mi fydde'n diflannu i'r tŷ bach yng ngwaelod yr ardd a'r papur dan ei gesail, ac yno y bydde fo yn ei ddarllen am hanner awr solet!

Roedd o'n un blaengar iawn fel ffarmwr – y fo oedd y cynta yn yr ardal i gael injan gneifio drydan – ac roedd o'n fistar ardderchog, ond bobol bach roedd ganddo fo gŵn sâl. Roedd un ci o'r enw Joc yno, ci coch, ac un coch ar y naw oedd o hefyd, y cwbwl y bydde fo'n ei neud oedd cyfarth ar y plant, a fi, nid y fo, oedd yn gorfod gneud y rhedeg! 'Cadw ci a chyfarth fy hunan' yn llythrennol, bron.

*   *   *

Mi dreulies i gyfnod hapus iawn yn Nhŷ Gwyn, ond pan ddaeth Ifor, y mab hyna, adre o'r ysgol roedd yn rhaid i finne newid fy lle, a symud – ar ôl pum mlynedd, fel gweinidog Wesle – a chael fy hun yn Arddwyfaen, ffarm arall oedd yn ffinio â'r Hafod, ffarm oedd yn cadw tipyn o bopeth – gwartheg, defaid, moch, ieir a thyrcwn. Byddai'r Nadolig yn dymor prysur iawn yno yn pluo a pharatoi dros hanner cant o dyrcwn ar gyfer eu gwerthu.

Evan Lloyd Jones a'i wraig a'i fam a'r plant – bechgyn i gyd: Rheinallt, Gwyn, Gareth ac Arwel – oedd yn byw yno, ac fe fu ei fam yn garedig iawn wrtha i, yn dod ag anrheg i mi bob tro y bydde hi wedi bod i ffwrdd, fel taswn i'n fab y lle, neu'n hogyn bach!

Er mai yma y cefais i'r cyfle cynta i blygu gwrych, rhywbeth ddaeth yn bwysig iawn i mi yn nes ymlaen, dwi'n cofio Arddwyfaen yn bennaf oherwydd y moch. Yma eto, fel yn Nhŷ Gwyn, fe gedwid dau faedd ac mi fydde hychod yn dod yno o amryw fannau, gan gynnwys hychod Gwilym Jones, Maelor, Cerrigydrudion. Pan ddeuai'r awydd ar y rheini fe fydden nhw'n dod eu hunain heb neb yn eu gyrru, i lawr yr A5 ac yna, wedi cyrraedd giât y ffarm, yn rhoi eu pennau dani a'i chodi er mwyn cyrraedd y buarth at y baedd.

O ie, rhai selog iawn ydi hychod pan fyddan nhw angen baedd. Dwi'n cofio un ffarmwr yn dod â hwch mewn hen fan A30 a'r hwch mor awyddus i fynd allan ar ôl cyrraedd y buarth fel y landiodd hi dros y terfyn yn y sedd flaen efo'r dreifar!

Yn fuan wedi imi ddechre gweithio yno, roedd Evan Lloyd Jones wedi mynd i ryw ffair a ngadael i adre'n gyfrifol am y bwydo. Ond roedd un hwch ar goll, heb ddod at ei bwyd, ac mi wyddwn ei bod yn ymyl dod â moch bach. Mi es i chwilio amdani a dod o hyd iddi wedi geni deuddeg o foch bach ar y llechwedd uwchben Penllwyn, ffarm yn uwch i fyny a chartre Emyr Wyn, fy mab hyna, erbyn hyn.

Roedd yn rhaid trio'i chael hi a'i thorllwyth i ddod adre, neu felly roeddwn i'n meddwl beth bynnag, ond doedd dim symud arni. Dyna daro ar syniad, nôl y fasged ddillad, rhoi'r moch bach yn honno a siawns wedyn na fydde'r hwch yn dilyn.

Ar ôl cyrraedd yn ôl, dyma ddechre rhoi'r moch bach yn y fasged fesul un. Tri oedd ynddi cyn i'r hwch godi ar ei thraed a dod amdanaf fel peth wedi gwallgofi. Sôn am banics! Mi luchies y fasged nes ei bod hi a'r moch bach yn bowlio i lawr y boncyn, a ffwrdd â fi am y buarth nerth fy nhraed, wedi dychryn am fy mywyd.

Ond dyna fo, dibrofiad oeddwn i ar y ffarm achos erbyn deall roedd hi'n arferiad gan amryw o'r hychod i fynd i rywle allan i ddod â'r moch bach i'r byd, ac ymhen tair wythnos fe landiodd yr hwch a'i moch yn ôl yn y buarth, pob un yn iach fel y gneuen.

Dibrofiad oeddwn i ym myd coginio hefyd, er yn meddwl mod i'n gwybod popeth. Un Sul mi aeth yn banics braidd pan gafodd un o'r hogie, Gareth dwi'n meddwl, bendics, a bu'n rhaid mynd â fo i'r ysbyty a Mrs Jones yn gorfod gadael ar ganol gneud y cinio Sul.

Mi ddwedes mod i'n medru gneud cwstard ac mi ges i'r job. Mi aeth y cinio i lawr yn iawn, ond nid y pwdin, achos roeddwn i wedi anghofio rhoi siwgwr ynddo fo!

Daeth pum mlynedd hapus yn Arddwyfaen i ben pan ddaeth Rheinallt adre o'r ysgol. Wedi cyfnod yno ac yn Nhŷ Gwyn oedd cystal ag unrhyw goleg, mi dreulies i dair blynedd adre yn yr Hafod wedyn efo Tegwyn, y brawd hyna, cyn priodi.

Gaer Gerrig a Llwyn Dedwydd

UN O LANARMON Dyffryn Ceiriog ydi Barbara, y wraig, merch Swch Cae Rhiw, ac mi ddaru ni gyfarfod oherwydd ein bod yn troi yn yr un byd, byd steddfodau a chyngherddau. Mi fydde hi'n canu deuawdau a thriawdau efo Dilys Jones a Geunor Davies, y ddwy o Lynceiriog, a dwi'n credu mai yn Eisteddfod Powys yn Llansilin tua 1964 ddaru ni gyfarfod, os cofia i'n iawn. Roedd hi hefyd yn aelod o gôr Glynceiriog, côr enwog Arthur Thomas enillodd yn y Genedlaethol yn Llandudno yn 1963.

Roedd hwn yn gyfnod y dawnsfeydd gwerin hefyd a'r rheini yn eu bri mewn sawl ardal, ac mi fydden ni'n mynd iddyn nhw i gyd – Llansilin, Dolgellau, Glantwymyn, y Drenewydd, ac yna Betws-yn-Rhos yn amal ar nos Fercher a Dinbych ar nos Sadwrn.

Roedd gen i gar A40 Somerset yr adeg honno, handi iawn gan fod Barbara, yn nhermau'r oes honno, yn byw yn eitha pell, a Chroesoswallt fydde'n man cyfarfod ni'n amal.

Yng Nghapel Llywarch, Llanarmon Dyffryn Ceiriog, y priodwyd ni ar Fedi'r 9fed 1967 gan ei gweinidog hi – y Parch. Thomas Arthur Williams, a'm gweindog i, y Parch. Idwal Jones, Llanfihangel, ac yn neuadd y pentre y cawsom ein brecwast gyda merched y fro yn darparu ac yn gweini. Deugain punt gostiodd y cyfan, er bod cant ac ugain o westeion yn y brecwast. Cafwyd llawer o roddion at y bwyd a mam Barbara wnaeth y cacennau bron i gyd. Fel mae pethe wedi newid! Mae priodasau heddiw'n costio miloedd ar filoedd. Ond roedd arian yn brin bryd hynny. Cawsom gyfarchion lu gan aelodau o'r teulu a chydnabod. Dyma ddyfynnu'r pennill ola o un cyfarchiad, a hynny am reswm arbennig:

> Bendithion gore bywyd
>   Ddilyno chwi drwy'ch oes,
> A Duw fo ichwi'n gymorth
>   Ymhob rhyw awel groes,
> Boed aur y fodrwy yn parhau
> Yn sêl eich cariad chi eich dau.

Y rheswm arbennig ydi er mwyn enwi a chofio'r bardd – Henry Hughes, Llanarmon, un a fu farw yn llawer rhy gynnar ac un y mae ei fedd ym mynwent Llanarmon. Halen y ddaear oedd Henry, gŵr ei filltir sgwâr a bardd da. Bu'n ŵr amlwg yng Ngorsedd Powys ac mae ei weddw, Siân Elan, wedi ei ddilyn ac yn parhau'n ffyddlon i'r orsedd a'r eisteddfod.

I Blackpool yr aethon ni ar ein mis mêl ond roedd ganddon ni gymaint o hiraeth yno nes inni ddod yn nes adre – i'r Rhyl – ymhen rhai dyddie! Sut bydde hi arnon ni tasen ni wedi mynd i'r Bahamas?

Yn dilyn ein priodas mi gawson denantiaeth Gaer Gerrig, un o ddwy ffarm Mr Matson, Twemlows Hall, Whitchurch. Bob Davies oedd beliff y ffarm arall, sef Llwyn Dedwydd; ond ar ôl inni fod am wyth mlynedd yn Gaer Gerrig fe ymddeolodd Bob Davies ac mi symudson ninne i Lwyn Dedwydd, a beliff oeddwn i yno – nid tenant. Roedd hwn yn symudiad pwysig iawn i mi gan fod teulu William Jones Ci Glas, fel y gelwir ef, wedi bod yno yn y gorffennol, a William Jones oedd brawd ienga Nain. Wedyn roedd y ddwy ffarm yn cael eu rhedeg efo'i gilydd.

Yn Gaer Gerrig y ganwyd ein dau fab – Emyr Wyn a Rhys, ac mae blwyddyn a hanner rhyngddyn nhw. Dwi'n cofio fel ddoe un digwyddiad, oedd yn erchyll ar y pryd, pan oedd Emyr Wyn yn chwech a Rhys yn bedair.

Noson braf o haf oedd hi, ac roedd pob ffenest yn y tŷ yn agored, gan gynnwys ffenest ein llofft ni. Rywbryd tua dau o'r gloch y bore dyma ddeffro a chlywed y sŵn mwya dychrynllyd. Rhwng cwsg ac effro roeddwn i'n meddwl ei fod yn dod o'r tu allan, ond yna mi sylweddoles mai o mhen i roedd o'n dod.

Mi ddeffrodd Barbara hefyd a dyma ofyn iddi oedd hi'n clywed y sŵn. Oedd, roedd hithe'n ei glywed hefyd, er ddim mor glir â fi. Roedden ni'n dau wedi dychryn, yn meddwl bod rhywbeth mawr yn digwydd i mi. Sut allai sŵn ddod o mhen i, sŵn yr oedd Barbara hefyd yn ei glywed? Oedd fy ymennydd i'n chwalu neu beth? Doedd dim i'w neud ond ffonio'r doctor, a doedd gynnon ni yr un ffôn. Felly, roedd yn rhaid mynd i lawr i Dŷ Nant i'r ciosg.

Ym Mronafallen, Cerrigydrudion, yr oedd y feddygfa a dyma ofyn inni fynd yno ar unwaith, y bydde'r doctor yn dod i'n cyfarfod. Dwi ddim yn cofio be wnaethon ni efo'r plant, eu gadael gan eu bod yn cysgu'n drwm, dwi'n meddwl. Be arall wnaen ni? Roedd hi'n greisis.

Roedd y sŵn erchyll yn dal yn fy mhen a finne'n meddwl ei bod yn ddiwedd y byd arna i. Dr Geraint Owen ddaeth i'n cyfarfod ac mi archwiliodd fi'n fanwl heb ganfod dim. Yna, dyma fo'n estyn dysglaid o ddŵr a chwistrell a gofyn i mi ddal fy mhen uwchben y dŵr. Mi chwistrellodd ddŵr i mewn i nghlust i a'r eiliad nesa dyma fi'n gweld gwên ar ei wyneb, a meddwl na fase fo'n gwenu tase rhywbeth difrifol yn bod. Mi sylweddoles beth oedd achos y wên pan weles i glamp o bry llwyd yn nofio ar wyneb y dŵr! Ia, dyna oedd wedi digwydd, pry llwyd wedi mynd i mewn i nghlust i – at y drwm, a'i symud o oedd yn achosi'r holl dwrw yn fy mhen.

Mi alla i chwerthin am ben y peth erbyn hyn ond ar y pryd roedd o'n brofiad dychrynllyd. Dydw i ddim isio dychryn neb, ond does wybod be all gerdded i mewn i'ch clust chi pan fyddwch chi'n cysgu, yn nagoes! Haf poeth neu beidio, dwi'n meddwl inni fod beth amser cyn mentro agor y ffenest yn y nos wedyn.

*   *   *

Ardal Cwm Main oedd lleoliad y ddwy ffarm, Gaer Gerrig a Llwyn Dedwydd, ardal Rhyfel y Degwm yn ystod hanner olaf y bedwaredd ganrif ar bymtheg. Asgwrn y gynnen oedd y ddegfed ran o gynnyrch yr oedd yn rhaid i ffermwyr ei chyfrannu i'r eglwys er bod y mwyafrif ohonyn nhw'n gapelwyr. Codwyd sawl sgubor ledled y wlad i gasglu'r cynnyrch hwn, sef y sgubor ddegwm a roes enw i ambell ffarm erbyn hyn.

Am rai blynyddoedd talai'r ffermwyr y degwm yn anfoddog ond yn ddibrotest, ond daeth yn gyni economaidd, a phan benodwyd Comisiwn Eglwysig i neud y gwaith casglu ar ran yr offeiriaid ac y dechreuodd y rheini hawlio arian yn hytrach na chynnyrch, aeth pethe'n ddrwg a bu sawl protest a ffrwgwd, gan gynnwys yr un enwog yng Nghwm Main. Os na alle'r ffermwyr dalu'r degwm fe werthid eu cynnyrch, ac mewn rhai achosion eu ffermydd. Pa ryfedd i bethe fynd yn ddrwg!

Do, daeth y cwm yn enwog trwy Gymru yn ystod Rhyfel y Degwm. I fynd yno o'r A5 rhwng Dinmael a Thŷ Nant rhaid croesi'r bont lle mae'r plac yn cofio'r brwydro a fu. Ar y bont hon y daliwyd Ap Mwrog, yr arwerthwr o Ruthun, uwchben y dŵr a bygwth ei ollwng i'r afon ben yn gyntaf. Ar ei ffordd i arwerthiant yn Arddwyfaen, y ffarm y bûm i'n was ynddi, yr oedd Ap Mwrog a'i fintai y diwrnod hwnnw, mintai oedd yn cynnwys dau asiant o'r Comisiwn Eglwysig, dau glerc, cigydd o'r Rhyl a thri o blismyn. Yn dilyn y cythrwfl erlynwyd dros ddeg ar hugain o brotestwyr ardal Llangwm a'u galw gan *Y Faner* yn Ferthyron y Degwm.

Yn 1987, gan mlynedd union ar ôl y digwyddiad hwn, gosodwyd carreg ar y bont i gofio'r achlysur, a dyma'r hyn sydd arni:

1887–1987
YMA YR HERIODD
GWŶR LLANGWM
ORTHRWM Y DEGWM
MAI 27ain 1887

Ond 'nôl at y ffarmio, ar wartheg yr oedd y pwyslais yn Gaer Gerrig ond roedd gwartheg, defaid, moch a cheffylau yn Llwyn Dedwydd. Roedd hi'n ffarm o 220 o aceri – ffarm go fawr bryd hynny ac mi fydde myfyrwyr o Harper Adams yn dod yno i aros ac i gael profiad o weithio efo'r anifeiliaid. Gwaith Barbara oedd eu bwydo a'u lletya. Roedden nhw bob amser yn griw hwyliog a llawer o sbort i'w gael efo nhw, yn enwedig pan fydden nhw wedi bod yn ymweld â'r Goat yn y Maerdy.

Roedd stafelloedd mawr yn Llwyn Dedwydd ac yn un ohonyn nhw roedd bwrdd snwcer tri chwarter, bwrdd roeddwn i wedi ei brynu i Emyr a Rhys, y meibion, gan fod ganddyn nhw ddiddordeb yn y gêm. Roedd o'n handi iawn ar gyfer y myfyrwyr hefyd; roedd chwarae snwcer yn rhywbeth i'w neud ar fin nosau.

Ar y bwrdd hwnnw y dechreuodd Rhys chwarae ac mae o wedi ennill sawl pencampwriaeth yng nghynghrair lleol Owain Glyndŵr dros y blynyddoedd.

Mi fuon ni'n lwcus i gael mynd i bencampwriaeth y byd yn y Crucible, Sheffield, sawl tro hefyd. Mi enillodd o gystadleuaeth S4C deirgwaith a finne ddwywaith. Rhys oedd yr unig un i gael yr ateb cywir un flwyddyn, sef enwi'r pedwar fydde'n cyrraedd y rownd gynderfynol. Mi roddodd pawb arall Stephen Hendry i ennill ond wnaeth Rhys ddim hyd yn oed ei gynnwys yn y pedwar. A cholli wnaeth o yn y rownd gogynderfynol yn erbyn Steve James, cyn i hwnnw golli yn y rownd gynderfynol. Dwi'n cofio John Evans o'r BBC yn ffonio ryw dair noson cyn y ffeinal unwaith a deud: 'Newch chi ddim coelio hyn, ond dech chi wedi ennill eto.'

Mi fydden ni'n cael tocynnau ar gyfer y ddau ddiwrnod ola, sef y dydd Sul a dydd Llun Gŵyl y Banc. Aros bob amser yn yr un gwesty â'r chwaraewrs a chael £200 at ein costau. Cawsom dynnu ein lluniau efo llawer o chwaraewyr enwog, gan gynnwys Hurricane Higgins, y Gwyddel adnabyddus oedd yn dipyn o rebel, ond yn andros o chwaraewr da.

Roedden ni wedi ennill bedair gwaith a dyma Rhys yn deud, 'Wnawn ni byth ennill eto, well inni brynu tocynne', a dyna wnaethon ni. Ond dair noson cyn inni gychwyn dyma alwad ffôn arall gan John Evans – wedi ennill eto! Felly roedd gynnon ni ddwy set o docynnau yn mynd i Sheffield, ond doedd hynny ddim yn broblem gan fod yna wastad giw o bobol yn aros yn y gobaith y bydde tocynnau yn troi i fyny o rywle.

Roedd S4C yn gosod cystadleuaeth wahanol, nid yr un un bob blwyddyn, ac ambell dro enwi enillwyr rhyw flwyddyn arbennig fyddai'r dasg. Ond roedd gan Rhys gymaint o ddiddordeb yn y gêm fel ei fod yn cadw record o'r pencampwriaethau a phwy fyddai'n ennill bob blwyddyn. Roedd ganddo ddigon o wybodaeth i ateb pob un o'r cwestiynau.

Ond, a dychwelyd at y ffarmio unwaith eto, roedd anifeiliaid arbennig yn Llwyn Dedwydd a thipyn o gyfrifoldeb oedd edrych ar eu holau. Roedd Mr Matson, y tad, yn cadw buches o wartheg Friesian pedigri ac roedden nhw'n warteg gwerth eu gweld. Mi fydde fo,

a Richard ei fab wedyn, yn anfon yr heffrod i
Lwyn Dedwydd, tua cant a deg ohonyn nhw,
i gael tarw gan wasanaeth EAI Rhuthun.
Mi fydde dau ddyn yn dod draw am ddau
ddiwrnod, a'n gwaith ni wedyn oedd edrych
ar ôl yr anifeiliaid nes eu bod yn ymyl dod â
lloeau, gan eu trin yn wythnosol rhag ofn iddyn
nhw gael mastitis. Yna, yn ôl i Whitchurch y
bydden nhw'n mynd cyn dod â lloeau.

Roedd Matson yn ddyn ceffylau hefyd
– *hunters* mawr, cydnerth – ac roedd amryw
ohonyn nhw yn Llwyn Dedwydd. Y tad oedd
wedi dechrau cadw'r rhain hefyd ac mae gen
i go amdano'n dod draw i'w gweld, a ninne'n
eu hannos er mwyn iddo'u gweld yn carlamu
a sicrhau nad oedd yr un ohonyn nhw'n gloff.
Roedd o'n dipyn o awdurdod ar yr *hunters* ac
wedi eu beirniadu sawl tro yn Sioe Frenhinol
Lloegr.

Roedd dau gant a hanner o ddefaid yn Llwyn
Dedwydd ac mi fydden ni'n gwerthu cyplau, sef
defaid ac ŵyn, ym marchnad Rhuthun. Roedd
yno foch hefyd, gan fod Matson yn ddyn moch
yn fwy na dim, ac roedd ganddo 5,000 ohonyn
nhw yn Whitchurch. Byddai'n dod â hychod
i Lwyn Dedwydd – 45 ohonyn nhw, ac roedd
cryn waith edrych ar eu holau a chadw'r rhes
o gutiau'n lân.

Rhaid deud bod Matson yn feistr da, a fu erioed air croes rhyngon ni. Ddaeth o erioed i Lwyn Dedwydd heb ddeud ei fod yn dod, er y galle fo fod wedi dod yno'n slei heb i neb wybod; roeddwn i'n gneud fy ngorau iddo fo, a fynte'n gneud ei orau i mi. Dydw i ddim yn gweithio iddo fo ers blynyddoedd ond mae o'n dal i ddod heibio bob Dolig. Ryden ni'n dau fwy neu lai yr un oed.

Doedd raid i mi ond gofyn iddo fo pan oedd angen rhywbeth arnaf ac fe'i cawn, fel yn achos y ci defaid. Ci sâl oedd gen i yn Llwyn Dedwydd a dyma ddeud hynny wrth Matson, ac mi roddodd ganiatâd i mi i chwilio am un gwell. Mi ddigwyddes sylwi ar hysbyseb am gŵn defaid o dan Trefnant yn y *Free Press*, a dyma fynd i'r ffarm oedd yn hysbysebu.

Roedd sawl ci yno ac fe ddangosodd y perchennog gi coch a gwyn i mi – Roy, ac fe aethon ni i'r cae bach wrth y tŷ i'w weld o'n gweithio. Roedd o'n ardderchog, yn gneud popeth orchmynnai ei feistr iddo, ac mi ges wybod ganddo mai *away* oedd yr alwad iddo fynd i'r dde, *come by* i'r chwith, ac os oedd y ci yn gorwedd i weiddi '*Get up*' arno. Hyn, a rhai gorchmynion eraill hefyd, wrth gwrs.

Mi ofynnes iddo a gawn i fynd â'r ci adre i'w

drio cyn ei brynu, ond doedd o ddim yn fodlon cytuno i hynny; roedd yn rhaid ei brynu yn y fan a'r lle neu ei adael. Doedd gen i ddim byd i'w golli efo ci oedd yn ymddangos yn un mor dda, felly dyma'i brynu. Matson oedd yn talu amdano, wrth gwrs.

Ar ddydd Iau y prynes i o a drannoeth roedd hi'n Sioe Llangwm ac mi benderfynes ei drio yn y sioe gŵn, y dosbarth lleol, gan mod i'n tybio y bydde fo'n gi peryg yn y dosbarth hwnnw.

Adre roedd gen i ffon fugail efo pen smart iddi, canlyniad mynd i ddosbarth nos Robert Griffith Jones, Hendre Garthmeilio, crefftwr ardderchog a'r un luniodd y ddau blac derw sydd ar wal Neuadd y Sarnau, un i gofio R. Williams Parry a'r llall i gofio Llwyd o'r Bryn. Roeddwn i'n swagro braidd, a deud y gwir, efo fy ffon fugail a'm ci newydd.

Pan ddaeth fy nhro dyma gamu allan at y polyn a gweiddi 'Away, Roy', ac i ffwrdd â'r ci i gyrchu'r defaid oedd yng nghornel bella'r cae. Roedd pethe'n argoeli'n dda a'r ci yn mynd fel mellten, ond hanner ffordd at y defaid dyma fo'n gorwedd i lawr. Mi gofies y gorchymyn a gweiddi 'Get up' arno fo, ond symudai o ddim. Dyma drio eto, ond doedd dim symudiad. O'm hôl fe glywn chwerthin rhai o'r dorf, ac fel y cynyddai'r chwerthin, gwaeddwn inne'n uwch, ond doedd y ci'n gwrando dim. Dyma gychwyn ar ei ôl gan chwifio fy ffon, a phan welodd fi'n dod mi gododd ar ei draed. Ond roedd popeth wedi ei ddifetha, a'r cyfan wnes i er mwyn rhoi taw ar y chwerthin oedd mynd â'r defaid i'r gorlan gadw a mynd adre'n reit sydyn. Ac os nad oedd cynffon y ci yn ei afl, mi roedd f'un i!

Ond mi fuo Roy yn gi ardderchog ar y ffarm, yn enwedig wrth weithio'n agos ata i ac at y defaid. Doedd o ddim yn hoffi mynd ymhell. Dyna oedd wedi digwydd iddo yn y sioe, wedi ei ymarfer a'i drenio ar gae bach ac yna'n sydyn yn cael ei drosglwyddo i gae mawr. Doedd ryfedd bod y perchennog yn anfodlon imi fynd â fo adre i'w drio. Welodd o 'run sioe gŵn wedyn beth bynnag, na finne chwaith am wn i!

Mi fydden ni'n cymryd gweinidogion i ginio neu de hefyd ar ôl symud i Lwyn Dedwydd ac mi fu bron i un ohonyn nhw gael damwain yno. Y Parch. Adrian Williams oedd o, gweinidog Llandrillo ar y pryd, ac ar ôl bod wrthi yng Nghefn Nannau, Llangwm, yn y bore mi ddaeth acw i ginio. Cyn ei chychwyn hi yn y pnawn am Gwmpenanner a hithe'n ben set, dyma fynd i'r bathrwm oedd i fyny'r grisiau. Ar ben y grisiau ar y landing roedd *runner* a phan landiodd ei draed ar y *runner* dyma fo ar ei hyd ar lawr a theithio ar hyd y landing fel tase fo'n frodor o'r Dwyrain Canol ar garped hud. Bu ond y dim iddo daro'i ben yn nrws y bathrwm, diolch na wnaeth o ddim, ond pregethwr go sigledig gafwyd yng Nghwmpenanner y pnawn hwnnw.

Mi fydde Barbara a fi yn cefnogi sioeau lleol trwy gystadlu, hi efo'r coginio a finne efo blodau a chynnyrch. Ond doedd pethe ddim yn gweithio bob tro. Unwaith a hithe'n sioe Cerrrig roedd Barbara wedi coginio sawl peth, gan gynnwys tair tarten afal. Rhoddodd yr orau ohonyn nhw ar sêt flaen y car. Ond mi ddaeth Emyr Wyn o rywle ac mi steddodd arni heb ei gweld, a dyna ddiwedd y darten honno!

Roeddwn inne'n cystadlu yn yr adran flodau ac roedd gen i ddelias ardderchog i ddewis pedwar allan o lond gardd yn llawn blodau, digon i gael dewis blodau oedd yn union yr un fath o ran maint a siâp. Roedden ni fel teulu i ffwrdd yn rhywle ar y nos Wener ac roeddwn i wedi penderfynu torri'r blodau fore Sadwrn er mwyn iddyn nhw fod yn ffres. Ond rywbryd yn ystod y min nos roedd pobol ddiarth wedi galw, wedi gadael y giât yn agored, ac roedd chwe oen llywaeth wedi cael amser da, mae'n rhaid gen i, ynghanol y delias. Roedden nhw wedi eu chwalu a'u gwasgu i gyd a phob un wedi malu. Na, doedd sioe y flwyddyn honno ddim yn un dda i Barbara na fi.

*   *   *

Ond roedd ein cyfnod yn Llwyn Dedwydd yn prysur ddod i ben. Mi ddaeth tro ar fyd yn hanes Matson. Aeth pethe'n wael tua diwedd yr wythdegau ac mi fuo'n rhaid iddo fo newid ei ffordd o ffarmio. Un peth ddigwyddodd oedd iddo werthu Llwyn Dedwydd, a'r un a'i prynodd hi oedd Trefor Jones, Llanrhaeadr, tad a thad yng nghyfraith Heulwen ac Eilir Rowlands, yr Hendre, Cefnddwysarn. Mi arhosais yn feliff efo fo am ddwy flynedd, ac roedden ni'n ffrindie mawr, ond roedd Barbara angen gwaith gan ei bod wedi colli'r gwaith o edrych ar ôl myfyrwyr Harper Adams. Doedd dim myfyrwyr yn dod ar ôl i Matson werthu'r ffarm. Mi gafodd waith yng nghartref preswyl Cysgod y Gaer, Corwen, ac mi symudon ni i Drem Afon, Dinmael, lle ryden ni hyd y dydd heddiw.

Yr un adeg mi hysbysebwyd am arddwr a chrefftwr i Gysgod y Gaer, un fedrai droi ei law at wahanol dasgau gan gynnwys dreifio'r bws mini; mi ges i'r job, ac roedden ni'n dechre bron yr un diwrnod.

Cyn y gallwn i ddreifio'r bws mini roedd yn rhaid imi basio'r prawf, ac yna mi fyddwn yn mynd â'r preswylwyr ar dripiau, ac er eu bod yn hen a rhai ohonyn nhw'n bur ffwndrus roedden nhw'n bobol annwyl ac yn dipyn o gymeriadau. Roedden nhw'n hoffi mynd ar dripiau ac wrth eu boddau pan oedd rhywbeth yn digwydd neu rywbeth yn mynd o'i le.

Pan oeddwn i'n mynd â nhw ar un o'r tripiau cynta i Froncysyllte, a ninne bron â chyrraedd, dyma gar heddlu a'i olau'n fflachio y tu ôl i ni, yn mynd heibio a gneud inni stopio. Roedd y merched ar y bws yn meddwl mai wedi eu dal heb wisgo'u beltiau roedden nhw, ond yr hyn oedd wedi tynnu sylw'r cwnstabl oedd y ffaith nad oedd y tag priodol wedi ei osod y tu allan i'r bws, disg arbennig gan mod i'n gyrru henoed. Mi fydde'n rhaid inni fynd yn ôl i Gorwen, ac mi fydde hi'n rhy hwyr i gael y trip wedyn.

Dyma fi'n rhoi llaw ar ei ysgwydd a deud y base'r criw yn torri'u clonnau tasen nhw'n colli'r ymweliad, a chwarae teg iddo fo mi adawodd inni fynd ymlaen am y tro.

Rhaid mod i wedi cynhyrfu neu rywbeth, achos ar ôl inni gyrraedd Froncysyllte roedd yn rhaid bacio'r bws yn ôl ar y pafin. Mi faciais i'n rhy bell a mynd ar draws peipen ddŵr oedd yno ac mi dorrodd honno nes bod y dŵr yn sblasio i bobman. Roeddwn i'n teimlo'n ofnadwy, ond roedd criw'r trip wrth eu boddau, a dyna oedd uchafbwynt y diwrnod iddyn nhw.

Fedra i ddim sôn am bawb oedd yn y cartre ond mae rhywun yn naturiol yn cofio ambell un yn well na'i gilydd. Cymeriad arbennig oedd Helina Jones, mam Emyr Jones fu'n Arolygydd ei Mawrhydi a nain Arthur Emyr, y chwaraewr rygbi, a'r brodyr eraill. Roedd hi'n hen ffasiwn ac yn annwyl, bob amser yn gwisgo ffedog a *beret* ddu, hyd yn oed i fynd i'w gwely, ac mi fydde hi bob amser yn eistedd wrth y drws yn y stafell gyffredin.

Mi ddaeth i mewn i'r stafell un diwrnod a finne'n digwydd bod yno. Roedd hi newydd gael bath gan y merched ac yn fawr ei chanmoliaeth iddyn nhw, ac medde hi wrtha i: 'Maen nhw'n glên iawn, wyddoch chi, a mi fasen wrth eu boddau yn rhoi bath i chithe, ac yn cymryd digon o amser efo chi!'

Wel, roedd o'n syniad addawol, ond ddigwyddodd o ddim, gwaetha'r modd!

Roedd 'handi man' yn gorfod gneud llawer o bethe amrywiol mewn cartre fel Cysgod y Gaer, a bod yn agored i gael tynnu ei goes hefyd. Yng nghegin y cartre roedd clamp o ffrij fawr, un oedd yn segur ers pedair blynedd. Ond un diwrnod fe waeddodd y gogyddes arnaf i ddod i helpu, ei bod yn bryd gneud rhywbeth efo'r ffrij a bod y drws yn styc ac nad oedd modd ei agor. Dyma finne i lawr ar unwaith a rhoi andros o blwc i ddrws y ffrij. Mi agorodd yn syth a be ddaeth allan ac amdana i ond un o'r staff a blanced wen dros ei phen, a bu bron i mi gael harten. Mi gafodd y staff hwyl fawr am fy mhen. Ond pan aethon nhw i drio gneud yr un peth efo'r metron, weithiodd y tric ddim; doedd hi ddim yn gweld y peth yn ddoniol ac roedd hi'n flin iawn efo nhw – syrfio nhw reit!

Roeddwn i'n cael fy nghyfri yn ail yn y gegin, yn ail i'r gogyddes oedd yn sâl un dydd Sul, a bu'n rhaid imi neud uwd i ddeg ar hugain. Faint o uwd sy'n ddigon i ddeg ar hugain, dwedwch? Wel, yn ffodus roedd Barbara ar ddyletswydd yno y diwrnod hwnnw hefyd ac mi ges i wybod ganddi hi faint oedd ei angen.

Dro arall roeddwn i'n gneud y brecwast i'r

rhai oedd i fyny'r grisiau, gan fod cegin ar y llawr cynta hefyd i'r rhai oedd yn methu dod i lawr. Roeddwn i newydd lwytho'r tostiwr efo bara pan waeddodd rhywun fod un o'r dynion wedi syrthio o'i wely. Dyma fi yno ar unwaith i helpu i'w godi, ei ymgeleddu a'i roi yn ôl yn ei wely. Y funud nesa dyma'r larwm tân yn canu, y tost wedi llosgi a'r mwg wedi cychwyn y larwm. Ymhen pum munud roedd yr injan dân wedi cyrraedd, ar siwrne seithug gan nad oedd tân, ond o leia roedd o'n profi fod y system o gysylltu'r cartre efo'r orsaf dân yng Nghorwen yn gweithio'n iawn.

Ar benwythnosau fe ofynnid imi neud gwaith ychwanegol, sef helpu efo'r coginio, y glanhau a'r golchi, ac roedd dwy broblem efo hwnnw. Un oedd be i'w olchi efo'i gilydd gan fod angen gwahanol dymheredd i wahanol fathau o ddillad. Mi welis i sawl tro jyrsi neu bwlofer wedi mynd yn hanner ei seis am ei bod wedi ei golchi mewn dŵr rhy boeth. Y broblem arall oedd cofio beth oedd yn perthyn i bwy gan mai fy ngwaith i oedd mynd â'r dillad glân i'r gwahanol stafelloedd, a doedd system tagio'r dillad ddim yn bod bryd hynny. Roedd hi'n helynt a hanner pan oedd dillad yn cael eu cymysgu! O feddwl, yn ystod fy amser yn y cartref, mi wnes i bob swydd yn ei thro, ar wahân i weithio yn y swyddfa.

Roedd yna rai adegau prysur iawn yn y cartref, pan fyddai archwiliad ar y gweill er enghraifft; roedd hwnnw'n cael ei gyfri'n argyfwng mawr, a bryd hynny byddwn yn gweithio ar fin nosau, wedi i'r trigolion fynd i'w gwlâu, yn peintio a phapuro, trwsio a glanhau. Cyfnod prysur arall oedd y Dolig, ond cyfnod gwych i fod yn rhan ohono. Cyrchu plant o wahanol ysgolion y cylch: Llangwm, Dinmael, Corwen, Gwyddelwern, Carrog a Glyndyfrdwy, ac enwi dim ond rhai. Mi fydde'r plant yn cynnal gwasanaethau a chyngherddau ac yn cyflwyno stori'r geni i'r preswylwyr, a hwythe wrth eu bodd. Roedd yna ryw gyswllt rhyfedd rhwng y plant a'r henoed, fel tase'r ddau begwn yn deall ei gilydd rywsut. Ac roedd y plant mor naturiol yn eu hymddygiad a'u siarad. Gwartheg Ty'n Celyn wedi croesi'r ffordd y tu allan i Wyddelwern ac wedi gneud llanast mawr. 'Drychwch, Miss,' medde un o'r hogie bach, 'drychwch ar y cachu gwartheg ym mhobman.'

Mi fyddwn i'n dreifio'r bws yng ngwisg Santa Clos neu Siôn Corn bryd hynny ac yn gorfod bod yn Santa mewn llawer lle. O Fryneglwys y cawn i'r siwt bob blwyddyn, o'r capel yno, ei benthyg am y cyfnod cyfan, a'r telerau oedd fy mod yn mynd yno i fod yn Santa iddyn nhw – telerau hwylus iawn. Ond y nefi, does dim byd mwy chwyslyd hyd yn oed ganol gaea na siwt Santa, ac mi fyddwn i'n amal yn cael annwyd o'r herwydd. Doedd i rywun arall wisgo'r siwt ar ôl i mi fod ynddi droeon ddim yn syniad da iawn, mwy nag oedd i mi ei gwisgo ar ôl rhywun arall. Ydi holl Santas y wlad yn meddwl am beth felly, tybed? Gall rhannu siwt fod yn arferiad afiach iawn!

Mi gefais i gyfnod ardderchog yng Nghysgod y Gaer; roeddwn i wrth fy modd efo'r henoed, ac roedd rhywbeth newydd yn digwydd yno bob dydd. Mae rhywbeth yn eitha hen ffasiwn yndda i, a deud y gwir, a wela i ddim o'i le mewn bod felly.

* * *

Dwi wedi bod yn lwcus ar hyd fy oes – cael byw yn lleol a ddim wedi gorfod symud at y gwaith. Mae fy meibion yr un mor lwcus – Emyr yn dreifio i gwmni lorïau Roger Faulkner, Llandegla, a Rhys yn gweithio yn ffatri Ifor Williams yng Nghynwyd. Ac yn ystod y blynyddoedd dwetha 'ma, ar ôl imi ymddeol, mae'r gwaith dreifio tacsis wedi dod yn handi iawn i mi. Rydw i'n dreifio'n rhan amser i Gwmni Goddard, cwmni tacsis Cerrigydrudion sy yn y teulu a'm dau nai yn rhedeg y busnes. Mi fydda i'n cyrchu plant at fws Ysgol Dyffryn Conwy yn y bore, yna at fws Ysgol y Berwyn, ac yna'n cludo plant i Ysgol Cerrigydrudion, a'r un teithiau wedyn amser te. Mae'n bleser cael cwmni'r plant, rhai ohonyn nhw'n dipyn o gymeriadau, yn ffraeth ac yn wreiddiol. Yn raenus eu hiaith hefyd, diolch am hynny.

Dwi'n cofio cario tri o blant Cefnhirfynydd, Cefn-brith, i'r ysgol – Ifan, Gwern ac Aron. Pump oed oedd Aron, yr ieuengaf ohonyn nhw, ac wrth fynd o'r bws y diwrnod cyntaf dyma'r tri yn diolch i mi. Finne'n deud diolch wrthyn nhw am ddiolch i mi, a'r hen foi bach yn ymateb a deud, 'Peidiwch â sôn.' Roedd ei glywed, yn oes y 'dim problem' bondigrybwyll, yn fiwsig i'r glust.

Ambell nos Sadwrn rhaid cyrchu'r ifanc adre ar ôl eu 'nosweithie allan' ac mae'n bwysig iawn bryd hynny sicrhau eu bod yn saff a mynd â nhw at ddrws y tŷ neu i'r buarth. Rydw i'n cofio cario llwyth bws o Ruthun un nos Sadwrn, ac ar ôl cyrraedd buarth cartre un ohonyn nhw, dyma'r bechgyn i gyd allan. Doeddwn i'n gweld dim yn anarferol yn hynny; roedd hi'n nos Sadwrn, ac roedd hi'n hwyr! Ond roedden nhw'n andros o hir yn dod yn eu holau a finne'n gyndyn o adael y bws i chwilio amdanyn nhw gan fod y merched yn dal ar ôl ynddo. Ond yn y man mi ddaethon – a mochyn bach efo nhw. Roedden nhw wedi bod yn y cwt moch yn nôl porchell bychan, un o'r torllwyth oedd gan yr hwch.

Wel, roedd y merched wedi gwirioni efo fo, yn ei osod i eistedd efo nhw yn y sedd ôl ac yn ei anwesu. Mae moch bach yn greaduriaid hoffus dros ben, ac yn groes i syniad cyffredinol pobol, mae moch hefyd yn anifeiliaid glân iawn. Mi ges i andros o drafferth eu perswadio i adael i'r mochyn fynd, ond allwn i ddim gadel buarth y ffarm honno heb ei ddychwelyd at ei fam.

Ambell dro rhaid mynd â chleifion i'r ysbyty, a dwi'n cofio mod i wedi cynhyrfu'r tro cynta a hynny oherwydd fy nghamgymeriad fy hun. Mi ges fy anfon i Ysbyty Dolgellau i gyrchu tri o'r rhai oedd wedi bod yno am y diwrnod a mynd â nhw i'w cartrefi. Y gynta i mewn ac eistedd yn sedd gefn y car oedd hen wraig annwyl dros ben, ond doedd hi'n deud dim bron, doedd dim modd cynnal sgwrs efo hi, ond roedd ei chyfeiriad gen i.

Wedyn dyma ddyn oedd mwy neu lai yn ddall i mewn. Sais oedd o ac roedd ganddo ffon wen. Unig eiriau hwnnw oedd: 'Well, I don't know,' ac roedd o'n ailadrodd y geiriau yma drosodd a drosodd ar hyd y ffordd. Yna mi ddaeth gwraig arall, Saesnes oedd hon eto, a mynd i eistedd y tu ôl at y ddynes arall. Er mwyn deud rhywbeth wrthi, dyma ofyn ble roedd hi'n byw. Ei hunig ateb oedd: 'Carry on,' ac roedd hithe'n ailadrodd ei hun ar hyd y ffordd fel mai'r cwbwl roeddwn i'n ei glywed oedd 'Carry on' ganddi hi, a 'Well, I don't know' ganddo fo a'r Gymraes fach yn deud dim.

Dyma gyrraedd cartre'r dyn dall ym mhentre Bont-ddu, a finne allan i'w helpu a mynd â fo at y tŷ. Doedd neb o gwmpas a'r lle wedi ei gloi. Be wnawn i? Allwn i mo'i adael yn y fan honno ar ei ben ei hun. Roedd hi'n fis Hydref, yn oeri ac yn dechre tywyllu. Ond cyn imi fynd i banig llwyr dyma gar yn dod a throi i mewn o flaen y tŷ, ei wraig yn cyrraedd adre o rywle, diolch i'r drefn.

Ymlaen wedyn i ddelifro dynes y 'Carry on' oedd yn byw ymhellach draw, yn nes i'r Bermo, ac wedyn doedd ond yr hen wraig fach ar ôl ac roedd honno'n byw yn Llanfachreth. Ond cyn cyrraedd dyma hi'n deud ei bod yn teimlo'n sâl! Be tase hi'n taflu i fyny yn y car! Be wnawn i wedyn? Ac roedd ffordd gul, droellog o'n blaenau i Lanfachreth. Mi ddwedodd nad oedd hi'n un dda am deithio, ei bod bob amser yn mynd yn sâl. Roeddwn i wedi cynhyrfu'n lân erbyn hyn, ond, diolch i'r drefn, mi gyrhaeddodd adre cyn mynd yn sâl go iawn.

Neb adre ar gyfer y dyn dall, a hen wraig Llanfachreth ddim yn gallu teithio ymhell. Roedd fy nghamgymeriad yn amlwg. Roeddwn i wedi mynd â nhw adre yn y drefn anghywir! Y wraig bach yn gynta, y dyn dall yn ola a dynes y 'Carry on' yn y canol, felly y dylsai hi fod!

Mae un digwyddiad arall yn sefyll allan yn y cof. Cael orders i fynd ryw noson i Fetws-y-coed i nôl rhyw ddau ddyn diarth oedd ar eu ffordd i Gerrigydrudion i aros yn y Llew Gwyn. Cefais wybod enw'r gwesty roedden nhw ynddo a phryd y disgwylid fi yno i'w nôl.

Ond pan gyrhaeddais i yno doedd dim sôn am yr un o'r ddau, a doedd dim i'w neud ond mynd rownd gwestai Betws-y-coed i chwilio amdanyn nhw, a doeddwn i ddim wedi sylweddoli tan y noson honno fod cymaint o westai yn y lle!

Roedd hi'n hwyr y nos erbyn hyn a byth ddim sôn am y ddau ddyn. Dyma gyrraedd gwesty Glanaber a doedd neb ar ôl ond y perchennog a'r *chef*. Mi ofynnes gawn i fynd i'r toilet ac mi ges ganiatâd, a ffwrdd â fi i lawr y grisiau. Cyn imi ddod allan dyma'r golau'n diffodd a fedrwn i weld dim. Dyma weiddi a dyrnu'r drws ac mi glywn rywun yn dod i lawr y grisiau. Y ferch oedd yn cloi oedd yno – munud arall ac mi fydde hi wedi fy nghloi i mewn ac mi fyddwn i wedi gorfod treulio'r nos yno.

Yn y cyfamser roedd y ddau ddyn wedi ffonio Tacsis Goddard, ac mi ddaru nhw fy ffonio i i ddeud lle roedden nhw. Mi ddois o hyd iddyn nhw yn y diwedd a mynd â nhw i'r Llew Gwyn rai oriau'n hwyrach nag roeddwn i na nhw wedi'i fargeinio.

Dwi'n dal i ddreifio'r tacsi, ac felly ar ddyddie ysgol rhaid codi tua chwech y bore, bwyta afal a brechdan ac yna i ffwrdd â fi.

Steddfota

YN YR EISTEDDFOD Genedlaethol yng Nghaerdydd yn 2008 mi enillais i Wobr Goffa Llwyd o'r Bryn am adrodd. Dyma ruban glas yr adroddwyr ac roedd ennill yn binacl fy ngyrfa ac yn golygu mod i'n ymuno â chriw dethol iawn, dros ddeugain ohonyn nhw, yn cynnwys y diweddar Stewart Jones, a enillodd ddwywaith, yr Archdderwydd T James Jones, Brian Owen, Siân Teifi, Rhian Parry, Nellie Williams, Leslie Williams, Medwen Parry, Elen Rhys a llawer, llawer rhagor. Ond mwy am y gystadleuaeth hon yn nes ymlaen.

Mae steddfota a chystadlu wedi bod yn fy ngwaed i erioed, yn union fel fy nhad a'm mam. Dwi ddim yn cofio amser pan nad oeddwn i'n cystadlu. Mynd efo fy rhieni i gyfarfodydd bach yr ardal fel y Gellïoedd, y Groes a Chefn Nannau, Nhad yn cystadlu ar yr adrodd a'r farddoniaeth – ambell delyneg, cân ysgafn ac englyn a gorffen limrig, a Mam ar yr ochor gerddorol. Finne, wrth adrodd a chanu, yn cael cyfle i sefyll o flaen cynulleidfa, bwrw fy swildod a magu hyder. Yna lledaenu fy adenydd ychydig o'r cyfarfodydd bach i steddfodau agored yr ardal: Betws Gwerful Goch adeg y Nadolig, Melin-y-wig adeg y Groglith. Ond dwi'n meddwl mai yn Eisteddfod Llanfihangel – Llanfihangel Glyn Myfyr ar y Calan, y cychwynnes i o ddifri ar y cystadlu. Dwi'n cofio cerdded yno dros y mynydd, a mynd cyn hanner dydd er mwyn cael gweiddi calennig yn nrysau tai'r ffermydd oedd ar fy ffordd, cerdded i gyfeiriad Tŷ Mawr heibio Maesgwyn, Bryn Llus a Tan-gaer a chael croeso mawr ym mhobman. Sawl tro y cerddes i drwy eira mawr a rhew! Na, doedd dim gohirio na chanslo steddfod oherwydd y tywydd bryd hynny, gan mai cerdded y bydde pawb. Ffasiwn yr oes fodern ydi gohirio a chanslo oherwydd y tywydd, a hynny'n amal cyn i'r bluen gynta o eira ddisgyn!

Rydw i'n dal i gofio rhai o'r darnau ddysges i ar gyfer eu hadrodd pan oeddwn i'n ifanc: 'Y Border Bach' (Crwys), 'Mab y Saer' (I. D. Hooson), 'Cofio' (Waldo Williams). Dyna ran o'r gynhysgaeth wych o farddoniaeth yr oedd yr arfer o adrodd yn ei rhoi i rywun! Cofio ambell gerdd sy wedi mynd yn angof gan y genedl erbyn hyn hefyd, megis 'Sbectol Nain' o gasgliad R. H. Jones. Ni wn pwy oedd ei hawdur, ond gallaf ei hadrodd air am air heddiw:

Mae gan fy nain ddwy sbectol aur
A'u hanes gewch yn awr,
Mae un yn dangos pethe'n fach,
A'r llall a'u gwna yn fawr...

Roedd steddfod flynyddol reit arbennig yn y capel Wesle yn Nhŷ Nant yr adeg honno ac mi fydde gynnon ni barti cydadrodd teuluol yn mynd yno – y fi a nhri brawd: Tegwyn, Eifion a Gwyndaf. Dysgu'r emyn 'Pwy a'm dwg i'r ddinas gadarn' un flwyddyn a'r ddeuddegfed bennod o Epistol Paul at y Rhufeiniaid flwyddyn arall, y bennod sy'n gorffen efo'r geiriau: 'Na orchfyger di gan ddrygioni, eithr gorchfyga di ddrygioni trwy ddaioni.' Roedd steddfodau bryd hynny yn ein gorfodi i ddysgu darnau gwerth eu dysgu, yn farddoniaeth a rhyddiaith.

Yn Eisteddfod Llanfihangel y cwrddais i â Bob Lloyd (Llwyd o'r Bryn) gynta. Roedd o'n arwain ac yn beirniadu'r adrodd. Ac wedi imi ddod i oed dreifio mi fydde'r Llwyd yn fy sbotio i a mrawd Gwyndaf yn y gynulleidfa ac yn dod aton ni i ofyn am lifft adre. Mi fydde wedi bodio'i ffordd i'r steddfod, wrth gwrs, a ninne wedyn yn ei gario adre, a fynte'n ein sicrhau wrth ofyn am lifft na fydde'r gymwynas yn gneud dim gwahaniaeth i ni wrth gystadlu!

Yn laslanc mi ymunais ag Aelwyd Llangwm

a chael rhai fel Emrys Jones a T. Vaughan Roberts i'n dysgu mewn partïon cydadrodd a cherdd dant, ac ennill droeon, ac mae Aelwyd Llangwm yn dal i gystadlu mor selog ag erioed, ac yn dal i ennill hefyd. Daeth rhai fel Rhian Jones, Bethan Smallwood, Dorothy Jones a Meinir Lynch i ddysgu'r genhedlaeth bresennol, gan gynnwys fy wyrion. Mi gyrhaeddais Eisteddfod Genedlaethol yr Urdd yn Llanbedr Pont Steffan a chael ail ar yr adrodd unigol dan 25 oed, a'r wobr gyntaf am gydadrodd 'Cathl i'r Ysbryd Glân'.

Mi fues i'n aelod o dîm siarad cyhoeddus Aelwyd Llangwm hefyd tua dechre'r chwedegau, a dwi'n cofio'r tri ohonom yn mynd efo tîm Pentrefoelas i gystadlu ym Mrynaman. Fi, Gwynfor Lloyd Evans ac Ellis Gwyn Jones oedd tîm Llangwm, a thri Pentrefoelas oedd Elfed Williams, Gwynfor Roberts a Tudur Hughes. Roedden ni'n aros dros nos mewn tai ym Mrynaman a dwi ddim yn cofio llawer am y gystadleuaeth, ond dwi'n cofio'r daith adre.

Roedden ni wedi penderfynu nelu am Aberystwyth erbyn cinio a chael pryd iawn yn y fan honno. Ond roedd tri Pentrefoelas awydd snac ar y ffordd a dyma stopio mewn siop bentre, a phawb i mewn nes llenwi'r lle. Saesnes oedd y ddynes y tu ôl i'r cownter a chownter bach ysgafn, simsan oedd o. Dyma Elfed yn dechre arni'n syth efo'r ddynes. 'You must learn Welsh, Miss,' medde fo wrthi gan bwyso ymlaen ar y cownter. Yr eiliad nesa roedd y cownter wedi llithro ymlaen nes taflu Elfed yn erbyn y ddynes a disgynnodd y ddau yn fflat i'r llawr, ac fe ddisgynnodd dwsin o boteli fferins gwydr oedd ar y cownter i'r llawr llechen las a thorri'n deilchion. Roedd gwydr a fferins ym mhobman, a dwi'n cofio'n arbennig yr holl ddoli *mixtures* yn chwalu a rowlio ar hyd y llawr.

Mi ddaeth y gŵr i'r golwg o rywle ac mi giliodd pedwar ohonon ni allan i'r ffordd i guddio ein chwerthin. Ond mi arhosodd Elfed yn y siop ac Ellis Gwyn efo fo, chwarae teg. Mi brynson bopeth y gallen nhw feddwl amdano er mwyn cael y siopwyr yn ôl i well hwyliau. Mi ddaethon ni allan ohoni yn weddol iach ein crwyn, a deud y gwir, dim ond gorfod talu deuswllt am bob potel oedd wedi torri, oedd ddim yn ddrwg o'i rannu rhwng chwech. Wn i ddim be ddigwyddodd i'r fferins; roedd y rhai mewn papur yn iawn, ond be am y lleill, y doli *mixtures* a'r fferins rhydd, di-bapur? Gawson nhw eu rhoi yn ôl mewn poteli, tybed? Gwell peidio meddwl.

Erbyn hyn roeddwn i wedi dechre mynd at Myra a Dewi Jones, Llanbedr-y-Cennin, i gael fy nysgu ac yn teithio ymhellach i steddfodau, i Fôn a Llŷn a Cheredigion, lle roedd llawer o'r steddfodau'n cael eu cynnal ar nos Wener. Coffa da am Goginan, lle roedd llawr pridd i'r neuadd, Trisant, Lledrod, Cnwch Coch, Ponterwyd, y Borth, a Phontrhydfendigaid. Byddai John Tegla, Llanelwy, yn dod efo fi'n amal – y fo'n cystadlu ar y canu a finne ar yr adrodd.

Mi fydde Gwynfor, brawd hyna Trebor Lloyd Evans, yn dod efo fi pan fyddwn i'n mynd i ddysgu adrodd – y fo i ddysgu canu at Arthur Vaughan Williams, y cerddor a'r beirniad ardderchog hwnnw, yn Llanrwst, a finne i Lanbedr-y-Cennin at Myra Jones. A phan gyrhaeddwn Lanrwst ar fy ffordd yn ôl i alw am Gwynfor, mi fydde Arthur Vaughan yn mynnu fy mod yn mynd i'r tŷ er mwyn iddo fo fy nghlywed yn adrodd y darn y byddwn wedi bod yn ei ymarfer y noson honno.

Mae gan bob adroddwr ei hoff ddarnau, ac yn mynd â nhw o gwmpas y steddfodau am beth amser, fel y bydd ein cantorion efo rhyw unawd arbennig. Mi ges i gyfnod reit hir o adrodd stori fer J. O. Williams, 'Y Teciall', hanes y teciall yn berwi'n sych; roeddwn i wedi adrodd cymaint arni fel y bydde pobol yn deud wrth fy ngweld mewn steddfod, 'Wel, mae'r hen deciall wedi cyrredd eto!' Dyma'r darn yr oeddwn yn ei adrodd yn Eisteddfod Llandegfan un flwyddyn, a phan oeddwn i o fewn rhyw dair llinell i'r diwedd mi ddiffoddodd y golau ac roedd hi'n dywyllwch dudew yno. Dal ati wnes i ac adrodd y llinellau olaf yn y tywyllwch.

Beirniad yr adrodd oedd Gwilym R. Tilsley a phan ddaeth o i meirniadu i, yr hyn ddwedodd o oedd, 'Er i'r golau ddiffodd mi ddaliodd yr hen deciall yma i ferwi.' Ac mi ges i'r wobr gynta ganddo fo!

Yn Eisteddfod Boduan roeddwn i wedi mynd am baned i'r festri cyn y gystadleuaeth ac mi ddigwyddes eistedd wrth ochr Marina, gwraig John Eifion. Roedd o wedi mynd i nôl paned i'w wraig a phan ddaeth yn ei ôl, wrth ymestyn y cwpan iddi, mi ddigwyddodd rhywun roi pwt yn ei fraich ac mi dywalltwyd y baned boeth ar fy mhen i, mewn lle eitha amlwg ar flaen fy nhrywsus, a hwnnw'n drywsus glas golau oedd yn dangos pob smotyn.

Mi allech daeru mod i wedi cael damwain,

wedi methu dal fy nŵr neu'n rhy nerfus neu rywbeth! Mi wnaeth merched y bwyd eu gorau i'm sychu efo tân nwy, ond y drwg oedd fod hwnnw'n llosgi fy wyneb. Roedd hi'n noson eitha gwyntog, felly mi es allan a cherdded i fyny ac i lawr rhyw allt gan obeithio y base'r gwynt yn gneud ei waith. Yn sydyn mi glywes rywun yn deud: 'Oes rhywun wedi gweld Aeryn yn rhywle? Mae disgwyl iddo ddod ymlaen i adrodd.' Felly, ffwrdd â fi ac erbyn hynny roedd y trywsus wedi sychu'n weddol, er nid yn hollol sych chwaith, ond ddwedodd neb ddim byd hyd yn oed os oedden nhw'n meddwl tybed be oedd wedi digwydd i mi!

Un o'r steddfodau dwi'n ei chofio'n dda ydi Eisteddfod Derwen, steddfod sy'n dal i fynd, chwarae teg, pan mae llawer o rai eraill wedi dod i ben ers blynyddoedd. Dwi'n ei chofio nid oherwydd yr adrodd ond am imi unwaith ennill y gadair yno a chael fy nghadeirio gyda holl urddas steddfod fach! Un o gymeriadau'r fro oedd John Lloyd, John y Go, un adnabyddus iawn yn y cylchoedd, baswr arbennig o dda, ac fe fyddai'n codi côr ar gyfer y steddfod bob blwyddyn. Gorffen limrig oedd y gystadleuaeth am y gadair, ac roedd y llinell gynta wedi ei gosod:

Wrth fynd ar hyd ffordd droellog Derwen.

A dyma finne'n ei gorffen fel hyn:

> Wrth fynd ar hyd ffordd droellog Derwen:
> Yn thymio am lifft yr oedd blonden,
>> Yn ymyl rhyw dro
>> Pwy ddaeth ond John Go;
> 'A wna i y tro?' meddai'n llawen.

Fel mae'n digwydd, roedd John wedi methu codi côr y flwyddyn honno, ac fe gafodd dynnu ei goes yn ddidrugaredd, ei fod wedi mopio cymaint ar y flonden ac yn mynd yn ddirgel i'w chyfarfod pan ddylsai fod yn dysgu'r côr ar gyfer yr eisteddfod.

Bu John fyw hyd ganol ei nawdegau, yn weithgar a sionc hyd y diwedd. Coffa da amdano. Gadawodd ar ei ôl fusnes llewyrchus codi siediau a gwaith gofaint o bob math, busnes Cymraeg, a Chymraeg sydd ar ei lorïau.

Roedd dau feirniad yn Eisteddfod Llanbedr Pont Steffan a'r rhagbraw yn cael ei gynnal yn y capel. Pan ddaeth fy nhro, dyma fi i'r pwlpud a dechre arni: 'Detholiad o...' Ac mi aeth yn nos arna i. Allwn i yn fy myw gofio enw'r llyfr. Mi gymrais arnaf mod i wedi stopio am nad oedd y beirniaid yn barod. 'Yden, ryden ni'n barod,' medde un ohonyn nhw. A finne'n cael cyfle arall: 'Detholiad o *O Gors y Bryniau* gan Kate Roberts...' Do, mi ddaeth yr eildro.

Dros y blynyddoedd mi ddois i'n hen law ar neud pob math o bethe pan fyddai'n mynd yn nos arnaf. Yn aml mi fyddwn yn rhoi gair neu ddau i mewn fy hun os oeddwn i wedi anghofio, a neb ddim callach, dim ond y beirniad wrth gwrs, os oedd hwnnw'n digwydd dilyn y sgript ar y pryd.

Mi ddois i'n drydydd ar y llefaru unigol dros 25 oed yn Eisteddfod Tyddewi 2002 ac Andrea Parry o'r Bala yn ennill. Darn heb fod yn cymryd mwy na phum munud i'w adrodd oedd y dasg ond cwta bedwar munud oedd y darn ddewisais i. Dwi'n cofio'r steddfod honno'n dda iawn, ond am y rheswm anghywir. Roeddwn i'n adrodd hanes saethu'r wiwer allan o *Hen Dŷ Ffarm*, D. J. Williams, ac ar ôl rhyw hanner dwsin o frawddegau mi aeth yn nos dywyll arna i a fedrwn i gofio 'run gair. Mi sefais yno ar y llwyfan am gyfnod oedd yn ymddangos fel oes ond nad oedd o mewn gwirionedd, mae'n debyg, yn fwy nag eiliad neu ddau. Ac yna mi ddaeth brawddeg i'r cof: 'Saethwch chi byth mohoni' ac ymlaen â fi. Mi welwn i'r beirniaid yn sgrialu ymhlith eu papurau, ond mi orffennais y darn, mewn tri munud, wedi gadael chwarter yr adroddiad allan! 'Saethwch chi mo'r wiwer heno,' medde'r beirniaid ond gan mod i ar y llwyfan yn un o dri, ac wedi dal ati heb i'r gynulleidfa sylweddoli bod dim o'i le, mi ges i drydydd. Lwcus!

Mae'n debyg mod i'n fwy mentrus pan oeddwn i'n ifanc; sut bynnag, roedd hi'n oes wahanol a dim sôn am iechyd a diogelwch nac asesiad risg bryd hynny. Dwi'n cofio mynd i Eisteddfod Llanwddyn am y tro cynta a holi rhywun am y ffordd orau i fynd yno, gan feddwl y bydde'n rhaid imi rowndio trwy Groesoswallt. Dwi ddim yn cofio pwy oedd o ond fe'm gyrrodd ar hyd ffordd anffodus iawn dros y mynydd drwy Rosygwalia gan fy sicrhau mai cwta naw milltir oedd Llanwddyn wrth fynd y ffordd honno. Ond wnaeth o ddim deud sut ffordd oedd hi. Roedd hi'n noson aeafol, stormus, yn wynt a glaw mawr, ond dyma'i mentro hi yn y Renault Dolphin, car bychan deuddrws efo'r injan y tu ôl.

Wyddwn i ddim fod giatiau i'w hagor ar y ffordd honno; doedd pwy bynnag ddwedodd wrtha i am y ffordd ddim wedi sôn am hynny. Allan o'r car â fi ac agor y giât gynta. Cyn

imi fynd yn ôl roedd hyrddiad sydyn o wynt
cryf wedi cael craff ar ddrws y car, ac wedi ei
chwythu'n glir i ffwrdd nes iddo landio ar y
ffordd. Weles i erioed y fath wynt. Roedd gen
i gortyn bêls yn y car ac mi wnes i ngorau i
sodro'r drws yn ei ôl a'i glymu efo'r cortyn a
mynd 'nôl a blaen drwy ddrws y teithiwr, a
hynny lawer gwaith i agor a chau giatiau.

Mi gyrhaeddais Lanwddyn yn saff. Dwi'n
cofio fawr ddim am y steddfod ond anghofia
i fyth y daith yno. Mi ddois adre ar hyd ffordd
gallach!

Rhaid crybwyll steddfodau'r llannau.
Roedd pedair – Llandderfel, Llanuwchllyn,
Llanfachreth a Llangwm, a byddwn yn eu
mynychu bob un. Mewn pabell y cynhelid
Eisteddfod Llangwm ac mi fydde'r babell
honno'n llawn hyd y diwedd, a chystadleuaeth
y côr fydde'r gystadleuaeth ola, ffordd dda o
gadw cynulleidfa. Ond, wrth gwrs, erbyn hyn
ddaw corau ddim i steddfodau os na chân
nhw ganu'n gynnar. Mi fydde llawer o gorau'n
dod i Langwm, gan gynnwys Glynceiriog dan
arweiniad y bariton A. O. Thomas, ac mi fydde
Barbara yn canu yn y côr hwnnw pan oedd hi'n
ferch ifanc. Robert Jones oedd yr arweinydd
cynta dwi'n ei gofio yn yr eisteddfod honno,

prifathro o Lanrwst ac un efo llais mor fawr fel nad oedd arno angen meic. Yna daeth y Parch. Huw Jones, yr athrylith ei hun. Byth yn colli rheolaeth ar ei gynulleidfa, byth yn colli amser, byth yn deud stori oni bai fod bwlch yr oedd yn rhaid ei lenwi, a'r stori honno yn taro deuddeg yn ddi-feth. Mi fydde fo a'r Parch. Gwilym Williams, y gweinidog fydde'n dod i gymryd ei le pan fydde fo'n mynd am fwyd, yn tynnu ar ei gilydd drwy'r amser, y naill yn Fethodist a'r llall yn Annibynnwr wrth gwrs, a'r ddau yn weinidogion yn nhre'r Bala. Geraint Lloyd Owen oedd yr arweinydd wedyn nes y daeth y steddfod i ben.

Roedd Llangwm yn enwog am rywbeth arall hefyd – gwybed mân fydde'n ymosod ar gynulleidfa a chystadleuwyr, fel yn wir y bydden nhw yn Llanfachreth. Trueni fod Llangwm wedi dod i ben, a dim rhagor o gymdeithasu uwch bwrdd y wledd na mwynhau'r caws a'r jam riwbob! Ond mae'r tair arall yn dal yn fyw, diolch am hynny.

Un o steddfodau mawr y gogledd pan oeddwn i'n ifanc oedd Eisteddfod Butlins, a byddai bws o'r cylchoedd yma'n mynd yno'n flynyddol. Dyma steddfod yr oedd bar ynddi flynyddoedd lawer cyn bod sôn am hynny yn y Genedlaethol. Bu Côr Merched Corwen yno droeon, ac ennill gyda Robin Williams, Robin Exchange, yn arwain. Roedd gwobr arbennig hefyd i gôr gorau'r ŵyl o blith y corau meibion, y corau cymysg a'r corau merched, ac unwaith, gyda'r enwog Sydney Northcote yn beirniadu, merched Corwen ddaeth yn fuddugol. Meddai Northcote wrth drafod y tri chôr, 'Mi gawson ni'r corwynt, mi gawson ni'r tân ac yna mi gawson ni'r llef ddistaw fain, a heno y llef ddistaw fain sy'n mynd â hi.'

Roedden ni fel teulu yn ffrindie mawr efo Robin Exchange – y fo oedd yn cario'r post yn ein hardal ni ar un cyfnod. Mi ges i ffidil gan Nain a dechre dysgu ei chwarae yn yr ysgol nes y bu farw'r athro. Ond digwyddodd rhywbeth i'r ffidil ac fe falodd y bont, a Robin trwsiodd hi. Roedd o'n chwaraewr tan gamp ar y ffidil ei hun a'i enw yng Ngorsedd Powys oedd Crythor Berwyn.

Roedd ambell dest consart neu brawf gyngerdd yn cael ei gynnal hefyd. Steddfodau oedd y rhain gyda nifer cyfyngedig o gystadlaethau. Roedd un arbennig yn Nhrefnant ac un yng Nghorwen, a dwi'n cofio rhai fel Glyndwr Richards ac Alun Ogwen Williams yn beirniadu. Dau feirniad arall a gofiaf oedd Elen Roger Jones a Jâms Nicholas, ac roeddwn i'n arbennig o hoff ohonyn nhw.

Rhaid cyfeirio at Eisteddfod Bwlchtocyn, ger Aber-soch, steddfod arall fydde'n denu cystadleuwyr o bob rhan o'r wlad, cyn belled â'r de hyd yn oed, gan fod iddi ysgrifennydd arbennig, sef Emrys Roberts. Roedd y steddfod hefyd yn un enwog am ei chroeso a'i bwyd, ac mae hynny'n denu cystadleuwyr, coeliwch chi fi! Roedd gwraig garedig yn gefn i'r steddfod hefyd – Miss Williams, Pant Farm, oedd yn rhoi cwpanau a rhoddion at y gwobrau bob blwyddyn. Mi fydde cantorion o bell yn dod yno i geisio ennill y cwpanau gan eu bod yn rhai da, yn rhai mawr efo caeadau arnyn nhw. Mae gen i saith cwpan ac un gadair enillais i yno, ac mae'r rhain erbyn hyn yn greiriau gwerthfawr i gofio amdani.

Un o'r corau dwi'n gofio'n cystadlu ym Mwlchtocyn oedd Côr Cymysg Llwyndyrys a'r enwog Gwilym Griffiths yn eu harwain, ac yn canu cymaint ei hun ag unrhyw aelod o'i gôr. Mi fydde Owain Arwel Hughes wedi ei gondemnio'n llwyr gan iddo ddadlau dro yn ôl na ddylai arweinydd hyd yn oed neud siâp ceg, heb sôn am ganu efo'r côr. Ond mae'r arweinydd a'i gefn at y beirniad, ac fe all neud pob math o stumie heb i hwnnw ei weld!

Mi fydden ni'n mynd yn deulu i Fwlchtocyn – Barbara a finne, Emyr a Rhys y meibion, a hynny nes i'r bechgyn dyfu'n llancie. Mi stopiodd Emyr ddod bryd hynny ond roedd Rhys yn dal i ddod, dim ond fo a fi erbyn y diwedd, gan stopio ym Mhorthmadog yn nhêc-awê y Chinese i gael sgodyn a sglodion. Ac mae Rhys yn dal i fynychu steddfodau, fwy na fi erbyn hyn, yn cystadlu ac yn ennill ar yr adroddiad digri a'r prif adroddiad, sy'n profi bod yr hen ddywediad yn wir – 'fel y bydd y tad y bydd y mab!'

Mae Bwlchtocyn yn steddfod sy wedi aros yn fy nghof, ac mae coffa da am bobol fel Charles Williams a T. Llew Jones fydde'n dod yno i feirniadu'r adrodd. Mi aeth yn steddfod andros o hwyr unwaith pan oedd T. Llew yn beirniadu ac roedd llawer o gystadlu ar y prif adroddiad, a phawb yn adrodd darnau o awdlau a phryddestau, gan feddwl eu bod yn plesio'r beirniad, falle. Mi adroddais inne ran o *Hunangofiant Tomi* gan Tegla, darn fuo'n mynd gen i am gyfnod reit hir.

Mi ges i gynta y noson honno a chanmoliaeth am ddod ag elfen ysgafn i'r gystadleuaeth. 'Mae awdlau a phryddestau yn bethe iawn i'w darllen wrth y tân fin nos,' medde T. Llew, 'ond nid i'w clywed yn cael eu hadrodd am un o'r gloch y bore!' Oes, mae yna fantais weithie mewn cystadleuaeth i fod yn wahanol i bawb arall!

Coffa da am un arall o steddfodau Bwlchtocyn hefyd a T. Llew Jones yn beirniadu, gan fod y feirniadaeth honno gen i o hyd, a dyma ran ohoni, nid i ganmol fy hun ond am mai T. Llew Jones oedd o:

> 'Bili'r Bwch Gafr' (R. E. Jones)
> Wyneb fel codiad haul o bleserus. Y stori'n werth ei deud – 'cyrn ei nain a'r 1944 act a phopeth'. Y plant bach yn f'ochor i'n chwerthin cymaint â neb. Aeryn ei hun yn mwynhau, a phawb drwy'r lle. Prin y clywais i ddim mwy doniol mewn steddfod erioed.

Ar y Sul ar ôl Eisteddfod Bwlchtocyn y bu fy nhad farw. Roedd o wedi cystadlu ar y farddoniaeth yn y steddfod honno ac wedi ennill, ond bu farw cyn derbyn ei wobr.

Mi gafodd Eisteddfod Genedlaethol Abergwaun glywed hanes Tomi gan Tegla hefyd. Hon oedd steddfod y mwd, a'r tywydd dychrynllyd fu bron yn ddigon i'w stopio ar ei chanol. Roedd cystadleuaeth portreadu unrhyw gymeriad o lenyddiaeth Gymraeg ynddi, a'r rhan o *Hunangofiant Tomi* sy'n adrodd hanes te'r pregethwr oedd y rhan ddewisais i, gan wisgo trywsus bach, fel hogyn, a chap ysgol am fy mhen. Mi fu Abergwaun yn steddfod lwcus i mi gan imi gael cynta, ail a thrydydd yno. Cynta ar y portread, ail ar yr adrodd digri a thrydydd ar y Llwyd o'r Bryn, gyda Bethan Gwilym yn ennill, cyw o frid gan i'w mam, Nellie Williams, ennill yng Nghricieth yn 1975.

Pan ymwelodd y Genedlaethol â Chastell-nedd yn 1994 mi enillais ar yr adrodd digri efo un o ddarnau Harri Parri. Dwi wedi adrodd llawer iawn o ddarnau o'i waith erbyn hyn ac wedi cael pleser arbennig yn darllen y llyfrau ac yn dewis a dysgu'r darnau ar gyfer eu hadrodd, unarddeg ohonyn nhw i gyd! Mae cynulleidfaoedd steddfodau a chyngherddau wrth eu bodd yn clywed ei waith yn cael ei adrodd. Bu'n weinidog arnon ni wrth gwrs, am bum mlynedd. I Langwm a Llanfihangel y daeth o yn ifanc o'r coleg, a chael cyfnod llwyddiannus dros ben yma, a phawb yn gofidio ei golli pan ddenwyd o i Borthmadog.

Steddfod arall dwi'n ei chofio'n dda oedd Eisteddfod Cnwch-coch, ymhell y tu draw i Aberystwyth, steddfod fydde'n mynd yn ddifrifol o hwyr. Roedd John Tegla wedi teithio efo fi un tro ac wedi cystadlu ar yr

Unawd Gymraeg ac yn awyddus, wrth gwrs, i aros i glywed y feirniadaeth. Hanner awr wedi dau y bore y traddodwyd hi ac roedd John yn edrych ar ôl buches odro yn Nhremeirchion ac eisiau bod adre i odro erbyn chwarter i chwech. Roedden ni'n cyrraedd sgwâr Cerrig, lle roedd o wedi gadael ei gar, am hanner awr wedi pump.

Roedd Ponterwyd yn steddfod bell, ond mi fyddwn i'n mynd bob blwyddyn, ac roedd gen i barch mawr at Geraint Howells. Y fo oedd yr ysgrifennydd am flynyddoedd, ac un da oedd o. Byddai'n mynd i steddfodau Ceredigion bron i gyd, ac roedd o'n nabod y cystadleuwyr. Un anodd iawn ei wrthod oedd Geraint Howells.

Roedd Pont-rhyd-y-groes yn steddfod y byddwn yn ei mynychu'n flynyddol, bron, a dwi'n cofio adrodd dan bump ar hugain yno, yr un darn ag yr enillais i'r Llwyd o'r Bryn arno. sef hanes y berwi wyau o waith T. Rowland Hughes. Roedd galeri yno ac roeddwn i'n troi i'r ochor, yn edrych i fyny a gweiddi ar fy mam yn y darn: 'Pedwar munud, yntê, Elin?' Bob tro y codwn fy mhen i edrych i'r galeri mi welwn ddau ddyn yn eistedd reit uwch fy mhen, yn chwerthin yn eu dyblau, ac roeddwn i'n clywed dŵr yn disgyn ar fy nhalcen fel tase hi'n glawio a finne'n methu deall beth oedd o. Ond cyn dod i ddiwedd y darn mi sylweddoles eu bod yn chwerthin cymaint nes eu bod yn poeri am fy mhen!

Yn y gystadleuaeth honno y fi oedd yr unig fachgen, chwech o ferched oedd yn fy erbyn ond y fi enillodd. A'r flwyddyn honno, y wobr oedd hanner dwsin o gyllyll bach, cyllyll te efo carnau ifori. Maen nhw yma o hyd ac yn cael eu defnyddio pan ddaw rhywun draw am baned.

Rai blynyddoedd yn ôl mi ddaeth Dai Jones draw i neud rhaglen *Cefn Gwlad* efo fi, a bu yma i de. Mi ddaeth y cyllyll bach allan ac mi ddigwyddodd Barbara ddeud mai fi oedd wedi eu hennill am adrodd dan bump ar hugain yn steddfod Pont-rhyd-y-groes. 'Wel, dene beth rhyfedd,' medde Dai. 'Y fi 'nillodd ar yr unawd dan bump ar hugain yn y steddfod honno, a'r wobr ges i oedd hanner dwsin o lwyau te!'

Mi fydde rhai cystadleuwyr yn mynd i fwy nag un steddfod mewn noson, os oedd dwy neu dair yn digwydd bod yn weddol agos. Ond mi methais i hi'n llwyr un noson. Roeddwn i wedi ennill tlws hardd iawn yn Llanbryn-mair, wedi ei gael ddwy flynedd yn olynol ac angen ennill y trydydd tro er mwyn cael ei gadw am byth. Ond yr un noson roedd steddfod yn Llan Ffestiniog ac roeddwn i wedi llwyddo i gyrraedd honno y flwyddyn cynt gan ei bod yn hwyr yn gorffen – tua hanner awr wedi un, os cofia i'n iawn, a Llanbryn-mair wedi gorffen yn gynnar.

Felly dyma benderfynu mynd i'r ddwy, Llanbryn-mair yn gynta, ond y noson honno, yn digwydd bod, roedd cystadlu trwm yno, steddfod y pnawn yn hwyr yn gorffen, a nifer dda yn cystadlu ar yr adrodd wedyn. Mi ges i adrodd yn weddol fuan yn y gystadleuaeth a dwi'n meddwl mod i wedi mynd oddi yno cyn y feirniadaeth er mwyn cyrredd Stiniog.

Wnes i ddim dychmygu cymaint o siwrne oedd yna rhwng Llanbryn-mair a Ffestiniog, a phan gyrhaeddais i roedd y pentre'n dawel a neb o gwmpas ond tri hogyn yn eistedd ar fainc. Dyma ofyn iddyn nhw oedd yna rywbeth wedi cael ei gynnal yno y noson honno, ac mi ges wybod trwy holi felly fod y steddfod wedi dod i ben ers dros awr. Mi methais hi'n llwyr, felly. Ydi, mae'n bosib bod yn rhy farus!

Mae gan bob adroddwr ei hoff feirniaid, fel y mae gan feirniaid eu hoff adroddwyr. Mi ges gynta lawer gwaith gan Glyndwr Richards, gan gynnwys y cwpan ym Mhrawf Gyngerdd

Corwen. Roedd Alun Ogwen yn un o'm hoff feirniaid hefyd. Pan fyddwn i'n mynd o gwmpas i gystadlu, fyddwn i ddim yn meindio bod ar waelod y rhestr cyn belled â bod neb yn deud dim byd cas amdana i, Mi fydda inne wrth fynd o gwmpas i feirniadu yn ceisio bod yn ofalus be dwi'n ddeud, achos ŵyr neb be di anhawsterau plentyn na'i gefndir.

Rydym i gyd wedi curo adroddwyr arbennig ac wedi cael ein curo ganddynt yn ein tro. Dwi'n cofio ym Mwlchtocyn ennill yn erbyn Madge Hughes a Nellie Williams, ac ennill yn erbyn Leslie Williams rywdro pan oedd Charles Williams yn beirniadu. Cewri mawr y byd adrodd bob un ac maen nhw wedi fy nghuro inne sawl tro.

Mi gollais sawl gwobr wrth gyfansoddi am mod i wedi anghofio'r geiriau cywir, ond yn y blynyddoedd olaf roeddwn yn sicrhau mod i'n gwybod y geiriau rhag i neb fy nghondemnio am hynny.

Rydw i wedi fy nerbyn yn aelod o'r orsedd mewn dwy eisteddfod, y Genedlaethol yn yr Wyddgrug yn 2007 a Phowys yng Nghorwen, 2008. Ond Eisteddfod Caerdydd 2008 oedd y pinacl, lle'r enillais i wobr Goffa Llwyd o'r Bryn; diolch i Buddug Medi a'm dysgodd. Ar ôl hynny, mi wnes i roi'r gore i gystadlu. Anghofia i fyth y pnawn dydd Iau hwnnw pan enillais i. Roedd pymtheg yn cystadlu a'r rhagbrawf yn y Pagoda gyda chynulleidfa dda yno gan fod llawer o bobol yn hoffi mynd i ragbrofion. Betsan Powys oedd yr arweinydd llwyfan a'i thad a'i mam, Alun a Rhiannon Evans, oedd wedi rhoi'r wobr ariannol.

Elen Rhys ac Ann Evans oedd yn beirniadu, a ninne'r cystadleuwyr yn adrodd y darn gosod – soned Gwenallt, 'Cymru': 'Er mor annheilwng ydwyt ti o'n serch...' a hunanddewisiad 7 munud o hyd o weithiau T. Rowland Hughes, Meleri Wyn James neu Rhydwen Williams. Hanes berwi'r wyau o bennod 'Bwrdd y Gegin' yn y nofel *O Law i Law* gan T. Rowland Hughes ddewisais i, y darn arweiniodd at y poeri ar fy mhen ym Mhont-rhyd-y-groes! Ond roedd o'n ddewis doeth, mae'n rhaid, achos mi enillais efo Carwyn John yn ail a Michelle Louise Roberts, Llanrug, yn drydydd.

Elen Rhys ysgrifennodd y feirniadaeth a dyma frawddeg neu ddwy ohoni:

Y Soned: Dyma'r dehongliad gorau o'r soned gawson ni gydol y rhagbraw... Cawsom yma y diffuantrwydd a'r argyhoeddiad, a hynny o'r galon... Ond falle, ar y llwyfan, nad oedd llif y llinellau gystal.

Detholiad 'O Law i Law': Wel dyma ddarn a siwtiai
Aeryn i'r dim... Roedden ni yno, yn y gegin yn
gweld y cyfan – y ddrama fawr o fewri wy. Roedd
gogoniant sgwennu T. Rowland Hughes yn fyw ar y
llwyfan.

Mi gefais i sylw gan Gwilym Owen hyd yn oed,
yn ei golofn yn *Y Cymro*. Dyma sgrifennodd o:

A phleser arbennig i mi fel hen gojar oedd gweld
dwy o brif wobrau cystadleuol Prifwyl y Brifddinas
yn mynd i'r Gymru wledig – Meirion Wyn Jones
o Langynhafal, Sir Ddinbych, yn ennill y Rhuban
Glas i unawdwyr ac Aeryn Jones, Dinmael, yn
cipio'r Llwyd o'r Bryn. Llongyfarchiadau gwresog
i'r ddau am ddod â jochiad o ddiwylliant y Gymru
wledig i lwyfan yr ŵyl hon a oedd weithiau
yn tueddu i ymgolli mewn awyrgylch esoterig
ddinesig!

Un garw ydi Gwilym Owen, byth yn colli
cyfle i golbio unrhyw beth nad yw'n hoff
ohono! Braf oedd cael ennill yn yr un steddfod
â Meirion Wyn Jones hefyd.

Do, dwi wedi rhoi'r gorau i gystadlu ond
dwi'n dal i fynychu'r steddfodau bron mor aml
ag erioed, ac mae Rhys y mab a Rhiannon fy

chwaer yn cadw'r traddodiad adrodd yn fyw yn y teulu.

Pan gyrhaeddes i adref o'r steddfod honno roedd baneri ac addurniadau y tu allan i'r tŷ, wedi eu gosod yno gan Siân Parry, Gaer Gerrig, Elen, ac Eifion Tŷ Tan Dderwen, ac eraill, ac mi dderbynies dribannau drwy'r post gan 'Elwy', sef Elwy Davies, Dinbych, a dyma ddau sy wedi mhlesio gan eu bod yn cyfeirio at Lwyd o'r Bryn:

Mae'n feistr ar drin geirie
A'u hadrodd mewn steddfode,
Enillodd fedal er coffâd
I'w arwr, tad 'y Pethe'.

Yn syml, daeth yr awen
I'th gyfarch di yn llawen,
A chlywaf floedd gan Lwyd o'r Bryn,
'Wel! Aer...r...ryn, go dda fachgen.'

Mewn Cyngherddau

FFORDD DDA o dynnu sylw atoch eich hun ydi ennill mewn steddfodau. Cyn pen dim mi gewch eich gwahodd i gyngherddau a chyfarfodydd cymdeithasol a nosweithiau llawen di-ri, prawf fod llawer o fywyd yn yr hen Gymru 'ma o hyd.

Mi ddechreues i fynychu cyngherddau yn gynnar iawn – mynd efo Nhad, fydde'n arwain ac yn adrodd, a finne'n gneud fy mhwt. Ar lawer cyfri mae llai o straen mewn cyngerdd neu noson lawen nag mewn steddfod, ac mae anghofio llinellau neu eiriau yn gallu bod yn rhan o'r hwyl. Cystadlu mewn steddfod sy'n sicrhau eich safon, fodd bynnag, ac mae'n baratoad ardderchog ar gyfer ymddangos ar lwyfannau eraill.

Fel un o'r artistiaid yr ymddangoswn weithie, ond fel adroddwr ac arweinydd yn amal, a hynny mewn cyngherddau oedd yn cael eu labelu yn rhai mawreddog. Be ydi'r gwahaniaeth rhwng cyngerdd a chyngerdd mawreddog, wn i ddim – safon yr artistiaid falle, ond mae llai o labelu felly nag a fu.

Cyngerdd mawreddog oedd yr un gynhaliwyd yn Neuadd Ysgol Dyffryn Nantlle gyda Dan Puw a Pharti'r Brenig, a finne'n cael fy enwi fel enillydd cenedlaethol ar adrodd. Dwi ddim yn cofio beth oedd y dyddiad, a does dim blwyddyn wedi ei nodi ar y tocyn, ond 25 ceiniog oedd y pris mynediad. Mae'n mynd yn ôl nifer go dda o flynyddoedd, faswn i'n meddwl, er nad i gyfnod yr hen arian, neu roedden ni wedi cael ein tanbrisio. Dydi o ddim yn swnio'n iawn rywsut fel pris i gyngerdd mawreddog.

Cyngerdd mawreddog gynhaliwyd yn Neuadd Bentre Carno yn 1979. Fi oedd yr arweinydd a'r adroddwr, a'r artistiaid eraill oedd Elwyn Jones (Llanbedrog), Marian Roberts a Trebor Edwards. O ystyried y tri yna, falle fod cyfiawnhad dros ei alw'n fawreddog. A mawreddog yn sicr oedd y cyngerdd yn Eglwys Seion, Cerrigydrudion, gyda Richie Thomas yn un o'r artistiaid ac yn Neuadd Rhyd-y-main, lle roedd Tom Gwanas a Glyn Borth-y-gest ymhlith y cantorion.

Af i ddim i'ch blino efo catalog o nosweithiau ond mae'n ddiddorol sylwi ar y gwahanol enwau a roddid ar nosweithiau amrywiol – Sgubor Lawen, Cawl a Chân, Noson Werin, Cyngerdd y Pasg, Asado a Chyngerdd Dathlu Gŵyl Ddewi.

Dydi pwysau cystadlu ddim arnoch chi mewn cyngerdd, ond mae 'na bwysau gwahanol; mae'r cyfrifoldeb yn fwy a'r noson yn dibynnu ar lai o bobol nag eisteddfod. Dwi'n cofio mynd i Farian-glas i gyngerdd efo Treb (Trebor Edwards) a Lleisiau'r Alwen – tair o ferched o ardal y Betws: Margaret Edwards, Enid Owen a Helen Ellis. Doedd llais Treb ddim yn dda y noson honno, ac fel roedd o'n siarad roedd y llais yn gwanhau bob munud. Dyma ddechre canu'r unawd gynta, ac mi aeth yn nos arno, a dyna draean y rhaglen wedi mynd, a'r gweddill yn mynd i ddibynnu arna i a Lleisiau'r Alwen. Yn ffodus roedd ganddon ni ddigon o ddeunydd wrth gefn i'w ychwanegu at yr hyn roedden ni wedi bwriadu ei gyflwyno. Yn ffodus hefyd, roedd y gynulleidfa yn un ardderchog, neuadd lawn a phawb mewn hwyliau. Mi ddaru ni weithio'n galed ac mi gafwyd noson i'w chofio. Roedd hi mor boeth nes imi orfod tynnu fy jyrsi ac roedden ni ym Metws-y-coed ar y ffordd adre cyn imi gofio'i bod ar gefn cadair ar lwyfan Marian-glas. Ond fe'i cafwyd yn ôl y tro nesa roeddwn i yn Sir Fôn, ac mi fyddwn yno'n amal ac wrth fy modd yn mynd i'r ynys, cynulleidfaoedd da a hwyliog yno bob amser.

Pan oeddwn i'n ifanc roedd gan Dafydd Evans, Brithdir, Betws Gwerful Goch, tad Margaret Edwards, arweinydd Côr Bro Gwerful, barti o un ar bymtheg fydde'n mynd o gwmpas i gynnal cyngherddau. Parti Min yr Alwen oedd ei enw ac mi fydden nhw'n mynd â fi efo nhw'n amal i adrodd. Roedd digon o gantorion yn y côr i gyflwyno eitemau unigol megis Trebor Edwards a'i daid, Clement Jones, a John Owen, Hafod y Gân, aelod o deulu enwog arall ym myd diwylliant cefn gwlad.

Mi ddysges i lawer wrth fynd efo nhw. Os bydde'r gynulleidfa yn un weddol stiff, ac yr oedd cynulleidfaoedd felly i'w cael, mi fydde Dafydd Evans yn gofyn i Treb a'i daid ganu 'Y Ddau Wladgarwr' yn weddol agos i'r dechre, a doedd honno byth yn methu. A dwi'n cofio mai eu heitem ola nhw bob tro fydde 'O mor Bêr'.

Roedd Dafydd Evans yn gwmni da, a dwi'n cofio rhannu car efo fo wrth fynd i Ddinbych unwaith ac yntau'n gofyn i un o'r cyd-deithwyr estyn ei fag iddo gael mynd dros un o'r caneuon ar gyfer y cyngerdd. Ond doedd y bag ddim yno, roedd wedi ei adael adre! Dim problem iddo fo ond beth am y gyfeilyddes – Helen Ellis, Growine – Helen Tŷ Cerrig cyn hynny?

Ond mi chwaraeodd bopeth o'i phen y noson honno fel tase dim wedi digwydd.

Mi fydde Emrys Jones, Llangwm, yn dod efo fi ar dro hefyd, ac mi alla i ei glywed o rŵan yn canu 'Yr Hen Glochydd' a 'Palmant y Dre' a 'Seimon Fab Jona', ffefrynnau mawr cynulleidfaoedd bryd hynny.

Yn naturiol mae ambell gyngerdd yn sefyll allan, a hynny am wahanol resymau. Dwi'n cofio cael fy nghyflwyno mewn un cyngerdd yn Sir Drefaldwyn gan Emrys Roberts, a enillodd y Gadair ddwywaith, a fu'n archdderwydd ac a fu farw'n ddiweddar. Cyflwynodd fi fel hyn: 'digrifwr, storïwr, comedïwr, gwladwr, llwyfannwr, adroddwr, casglwr, garddwr, capelwr, limrigwr'. Dyna i chi destimonial mewn deg gair!

Dwi'n cofio bod mewn cyngerdd yn Ninas Mawddwy ddeugain mlynedd yn ôl, ac yn adrodd 'Cinio'r Pregethwr' allan o *Hunangofiant Tomi* gan Tegla. Mi dynnwyd y lle i lawr y noson honno, ond nid gen i a'm hadrodd. A finne newydd fwrw iddi, dyma hen wraig o ganol y gynulleidfa yn dechre porthi a hynny dros y lle, gan dorri ar draws fy adrodd efo 'Wel, tewch da chi!' 'Pwy fasa'n meddwl!' 'Tewch a sôn,' ac ymadroddion cyffelyb nes

Fi a Barbara ym Mhlas Tan y blwch ar achlysur priodas Geraint a Bethan, Moelfre Fawr, Cerrigydrudion, Mai 31 1999

Codi wal yn y Rhiwlas dan gynllun Tir Cymen. O'r chwith: Robin Price y tirfeddiannwr, Ewen Cameron yn cynrychioli Tir Cymen a fi

Dyddiau llewyrchus yn Ysgol Dinmael 1977. Emyr Wyn yw'r nawfed o'r chwith yn y rhes gefn a Rhys yw'r trydydd o'r dde yn yr ail res

Cael fy nerbyn i Orsedd Powys. O'r chwith i'r dde: Edwin O Hughes, Llanbryn-mair, Brynle Hughes, Carys Williams, Edryd Williams, Dorothy Jones, Nan Jones, fi, Nia Morris

Arddangosfa o'm casgliad o gelfi ffarm a chegin yn yr Eisteddfod Genedlaethol yn y Bala 2009

Arddangosfa o'm casgliad o offer ffarm yn y Sioe Sir yn y Bala

Cwmni tacsis J.W. Goddard. Fi efo'r meibion, Huw ac Elgan Goddard

Trem Afon, y cartref yn Ninmael, gyda pheiriannau ffarm yn cynnwys sgyfflar, dwy aradr a phlannwr cabaits

Gêr ceffylau a chasgliad o olwynion

Hen bethau o'r oes a fu

Rhai o'r cyngherddau y bûm yn cymryd rhan ynddynt

Fi a Rhys efo Alex Higgins yn Sheffield yn 1989 ym Mhencampwriaeth Snwcer y Byd

Plygu gwrych ar stad y Rhug gyda'r Arglwydd Newborough, y tirfeddiannwr, a Gareth Jones, y rheolwr

Gyda'r blodau yn Sioe Cerrig

Arddangos peiriant nithio a ffust yn Sioe Cerrig

Rhys a Nia gyda'u plant, Hanna Lois ac Ifan Rhys

Y gynulleidfa yng Nghapel Dinmael – Cenwch im yr Hen Ganiadau 2012

Cenwch im yr Hen Ganiadau 2010. Yn y pwlpud: Fi, Trebor Edwards,
Betws; Glyn Williams, Borth-y-gest. Ail res: Aled Davies, Llangristiolus;
Trebor Evans, Brithdir; Trebor Lloyd Evans, Llangwm. Rhes flaen: Parch.
William Davies, Cerrig; Helen Davies, Llangristiolus (Llywydd); Marian
Roberts, Brynsiencyn; Tudur Jones, Tywyn, (Cyfeilydd); Mary Lloyd
Davies, Llanuwchllyn; Arthur Davies, Melin-y-Coed.

Cenwch im yr Hen Ganiadau, Capel Dinmael Mehefin 2012. Rhes gefn:
Iwan Parry, Dolgellau; Aled Wyn Davies, Llanbryn-mair; Gwyn Jones,
Llanafan; Meirion Jones, Llangynhafal; Vernon Maher, Llandysul;
Kate Griffiths, Bryn Saith Marchog. Rhes flaen: Tudur Jones, Tywyn
(Cyfeilydd); Dr Edward Davies, Cerrigydrudion (Llywydd); Tom Evans,
Dolgellau; Hywel Williams, Llandudno; Aeryn Jones, Dinmael, (Trefnydd
ac Arweinydd); Eifion Davies, Dinmael (Arweinydd y Gân).

Dr Edward J Davies,
Llywydd 2012.
Ymunodd â'r Dr Ifor
Davies yn feddyg
yn y cylch o 1950
hyd ei ymddeoliad,
a rhoddodd y
ddau wasanaeth
amhrisiadwy i ardal
Uwchaled

William Jones, Llwyn Dedwydd (William Jones Ci Glas), brawd Nain, gyda'r ci a enillodd lawer o wobrau iddo

Emyr Wyn a Catherine gyda'u plant – Emily, Laura a Tomos Wyn

Cwpanau a
thlysau'r llefaru,
y plygu gwrych
a'r walio

Y wal i'r fynedfa
o'r A5 i'r Rhug a
orffennwyd
gen i yn 2006

Rubanau o'r de, y gogledd a'r canolbarth

Cynulleidfa Capel Cefn Nannau mewn oedfa gyda'u gweinidog, y Parch. Meurig Dodd, diwedd y nawdegau

Dangos cribin wellt yn Sioe Sir Feirionnydd yn y Rhug 2009

Mrs Mary Ellen Davies (Anti Lel) ar achlysur ei phen-blwydd yn 104.
Buom yn cydweithio llawer pan oedd hi a'i gŵr, Bob Davies yn Llwyn
Dedwydd a ninnau yn Gaer Gerrig

Cantorion Cenwch im yr Hen Emynau 2009

Capel Llywarch, Llanarmon Dyffryn Ceiriog lle y priodwyd Barbara a fi

Cribin delyn gefais i gan
Wyn Ellis, Bryn Elan,
Llanfair Caereinion

Plat a gyflwynwyd i
Mam am chwarae'r
offeryn am 60 mlynedd

bod y gynulleidfa yn ei dyblau. Roedd hi wedi mynd i mewn i ysbryd y darn dros ei phen, ac wedi anghofio'n llwyr lle roedd hi. Dwi ddim yn siŵr wnes i lwyddo i ddod i ddiwedd y darn, a dwi'n meddwl imi ddeud rhywbeth fel 'Mi ddo i yn fy ôl eto i orffen yr adroddiad'! Ac, wrth gwrs, mi aeth hynny i lawr yn dda hefyd. Unwaith mae cynulleidfa wedi ei thanio mi fedrwch neud rhywbeth efo hi.

Mi ges i siec am ddeg punt y noson honno, a dwn i ddim oedd yr hen wraig wedi fy witsio neu be, ond mi ddois o hyd i'r siec ddeng mlynedd yn ddiweddarach, a heb ei bancio y mae hi byth!

Roeddwn i yng nghwmni'r cneifiwrs yn ddiweddar, y criw sy'n dal i gystadlu bob blwyddyn yn y gogledd 'ma, ym Meirionnydd yn arbennig, ac roedd dau ohonyn nhw yn y cyngerdd hwnnw ac yn dal i gofio'r achlysur yn iawn.

Un o'r cyngherddau mwya cofiadwy oedd un yng Nghapel Penmount, Pwllheli, tua 1961. Ugain oed oeddwn i, beth bynnag, a fi oedd yn arwain y noson honno. Roedd Emrys Jones, Llangwm, yn un o'r artistiaid, ac un arall oedd Helen Wyn, Tammy Jones yn ddiweddarach, a doedd hi ond pedair ar bymtheg ar y pryd. Un

o'r unawdau gafwyd ganddi oedd 'Pwy fydd
yma mhen can mlynedd?' ac anghofia i fyth
mohoni'r noson honno a'r cytgan yn atseinio
drwy'r capel gorlawn:

Ond bydd ffrindiau newydd Iesu
Yma'n sôn amdano ef.

Mi fuo'n rhaid i mi ei galw'n ôl deirgwaith
i ganu'r geiriau drosodd a throsodd, a phawb
wedi eu gwefreiddio.

Mae'n bwysig iawn eich bod yn siŵr o'ch
siwrne cyn cychwyn i gyngerdd. Dwi'n cofio
fynd unwaith efo Emrys Llangwm i Lantwymyn
i gynnal cyngerdd. Cyrraedd yno mewn da
bryd, ond doedd neb o gwmpas, pobman yn
dawel fel y bedd, a'r neuadd mewn tywyllwch
ac wedi ei chloi. Rhaid ein bod wedi methu'r
noson. Daeth rhywun allan o un o'r tai a
dyma ofyn iddo fo oedd yno gyngerdd y noson
honno.

'Chlywais i ddim sôn,' medde hwnnw, 'ond
dwi'n meddwl fod 'na gyngerdd yng Ngharno.'

I ffwrdd â ni am Garno ac yr oedd cyngerdd
yno ac roedden ni'n hwyr, nid y dechre gorau i
gael cyswllt efo'r gynulleidfa, ond pobol rasol
ydi pobol Sir Drefaldwyn ac fe gafwyd noson
dda yn y diwedd.

Un o'n nodweddion ni fel cenedl ydi ein gallu i newid o'r llon i'r lleddf neu fel arall ar amrantiad, ac er mai darnau digri dwi wedi eu hadrodd fwya, mi rydw i wedi dysgu rhai darnau difrifol hefyd, a'r rheini yn aml yn farddoniaeth ardderchog. Fel 'Cwm Tawelwch' Gwilym R.:

I ble yr ei di, fab y ffoëdigaeth,
A'th gar salŵn yn hymian ar y rhiw
A lludded yn dy lygaid?

Cerdd wych, ac mi adroddais hi mewn oedfa arbennig yn Soar-y-mynydd dair blynedd yn ôl. Oedfa heddwch oedd hi a Gwyndaf fy mrawd oedd wedi ei threfnu. Roedd yr oedfa honno'n deud 'Na i arfau niwclear, na i awyrennau dibeilot Aber-porth, na i Goleg Milwrol Sain Tathan' ac 'Ie i Academi Heddwch Cymru'.

Rhyw dair blynedd yn ôl hefyd mi gefais fynd i Bwll-glas i gyngerdd oedd yn dathlu hanner can mlwyddiant y neuadd i ddeud gair ac adrodd gan mod i'n adrodd yn y cyngerdd agoriadol a gynhaliwyd yn 1959. Y fi ydi bron yr unig un sy ar ôl o'r cyngerdd agoriadol. Yr arweinydd oedd Alun Ogwen – fu'n brifathro yng Nghoed-llai, dwi'n meddwl, ac ym Mhenmachno, tad Euryn Ogwen Williams.

Yr unawdydd oedd y tenor o Dreuddyn, Jesse Roberts, a'r parti oedd Hogiau Clwyd dan arweiniad Bobi Morus Roberts. Falle bod un neu ddau o aelodau'r parti hwnnw yn dal yn fyw, ond mae'r rhan fwya ohonyn nhw wedi mynd. Er hynny, mae ardal Pwll-glas mor fywiog heddiw ag roedd hi hanner can mlynedd yn ôl pan agorwyd y neuadd.

A finne wedi bod mewn cymaint o nosweithiau amrywiol ac eisteddfodau, a chyfarfod a dod yn gyfeillgar efo cymaint o gantorion, mi benderfynes inne, rai blynyddoedd yn ôl, gynnal nosweithiau arbennig yng Nghapel Dinmael. Ond mi ddof yn ôl at hynny eto.

*   *   *

Yn amlach na pheidio roeddwn i'n adrodd ac yn arwain yn y nosweithiau y bûm yn ymddangos ynddyn nhw, a rhaid i arweinydd wrth storïau. Mae doniolwch yn beth rhyfedd, ac mae'n debyg fod ffasiwn iddo fel i bopeth arall. Ac un hen ffasiwn ydw i fel y deudes i o'r blaen. Mae llawer o storïau a jôcs cyhoeddus heddiw yn rhai eitha amheus, gan gynnwys rhai a adroddir i gynulleidfaoedd cymysg lle mae plant yn bresennol hefyd. Straeon addas i glybiau ydi llawer ohonyn nhw ac i'r math o bobol sy'n mynychu lleoedd felly.

Mae cynulleidfaoedd nosweithie llawen a chyngherdde yn wahanol, ac, fe dybia i, yn hoffi straeon gweddus. Yn sicr dydi'r chwerthin ddim llai yn y cyfarfodydd hyn.

Mae gen i stôr o straeon, amryw ohonyn nhw'n straeon gwir, ac mae rhywbeth arbennig ynglŷn â'r rheini. Dyma rai enghreifftiau i chi, straeon digon diniwed mae'n siŵr, ond maen nhw'n darlunio oes wahanol i hon, a wnân nhw ddim i neb deimlo'n annifyr. Dydyn nhw ddim yn gadael blas drwg yn y geg.

Pan oedd mynd i'r capel yn llawer mwy poblogaidd nag ydi o erbyn hyn, roedd straeon capel yn mynd i lawr yn dda, ac yn wir, maen nhw'n cael croeso o hyd. Dyma rai.

Roedd gŵr a gwraig yn byw ar dyddyn bychan ac yn cadw dwy fuwch. Roedd y wraig yn gapelwraig selog ac yn cyfrannu'n hael at yr achos.

Un diwrnod daeth un o'r ddwy fuwch â dau lo gwryw i'r byd, efeilliaid â'r un marciau ar y ddau, ac fe benderfynodd y wraig nad oedd gan y fuwch ddigon o laeth i fagu'r ddau.

'Wn i be wnawn ni,' meddai, 'mi gadwn ni un, a gwerthu'r llall a rhoi'r pres i'r capel.'

Drannoeth daeth y gŵr i'r tŷ a'i wynt yn ei ddwrn. 'Mae rhywbeth ofnadwy wedi digwydd. Mae un o'r lloeau wedi marw,' meddai.

'O diar,' medde'r wraig. 'P'run o'r ddau?'

'Llo'r capel!'

Roedd y capel wedi mynd i gyflwr drwg a chafwyd pwyllgor un noson i drafod beth oedd orau i'w neud.

Cododd un o'r aelodau ar ei draed a deud ei fod yn methu deall bod angen gneud dim iddo. 'Mae o wedi gneud y tro i nhaid a nain, i mam a nhad ac mi wnaiff o'r tro i finne hefyd.'

Y foment honno dyma ddarn o galch o'r nenfwd yn disgyn am ei ben.

'Dwi wedi newid fy meddwl,' meddai. 'Dwi am roi pum can punt tuag at drwsio'r capel.'

Dyma hen wag oedd yn y pwyllgor yn gweiddi: 'Hitia fo eto, Arglwydd mawr!'

Dau gymeriad – Rob a Wil, Rob yn gapelwr mawr a'r llall erioed wedi bod mewn na chapel nac eglwys.

Rob yn digwydd deud wrth Wil fod cyfarfod diolch yn yr eglwys a'i annog i fynd yno. Ac yn wir fe aeth a deud yr hanes wrth ei gyfaill drannoeth.

'Mi ges i groeso mawr gan y ficer ac roedd pob math o ffrwythau yno. Dwi'n difaru na faswn i wedi mynd erstalwm. O mlaen i roedd dysglaid o eirin cochion ac mi es ati i'w bwyta pan oedd pawb arall yn canu. Erbyn y diwedd roeddwn i wedi eu bwyta i gyd. Wedyn, a hyn ddaru mhlesio i, mi ddaeth 'ne ryw ddyn rownd efo plât i hel y cerrig.'

Roedd hen wraig yn poeni bod y gweinidog yn gadel i fynd i eglwys arall.

'Mae'n ddrwg iawn gen i 'ych bod chi'n mynd,' medde hi wrtho. 'Wyddoch chi mai chi 'di'r chweched i ddod a mynd yn y deng mlynedd dwetha 'ma.'

'Peidiwch â phoeni,' medde'r gweinidog. 'Falle y cewch chi rywun arall yn fy lle i.'

'Falle wir,' medde hi. 'Ond maen nhw'n mynd yn salach bob tro.'

Cefndir ffarmio sy gen i, ac yn naturiol felly mae amryw o'r straeon y bydda i'n eu hadrodd yn codi o fyd amaeth neu fyd natur, ac mae straeon am foch yn mynd i lawr yn dda.

Dau foi, Nic a Ned, yn penderfynu mynd i ddwyn moch o ffarm oedd yn cadw cannoedd ohonyn nhw.

'Fyddan nhw ddim yn gweld colli dau fochyn,' medde Nic, ond roedd Ned yn tynnu ar ei din braidd. Ond mynd wnaethon nhw un noson, a chymryd bob o fochyn o ddwy dorllwyth oedd mewn sied.

Fel roedden nhw'n cerdded yn llechwraidd i

lawr y buarth dyma Ned yn deud, 'Dwi am fynd
â fy mochyn i yn ôl. Dydd y farn ddaw arnon ni,
wyddost ti.'

Ac medde'r llall: 'Paid â bod yn wirion! Taswn i'n
gwybod y cawn i lonydd tan ddydd y farn mi faswn
i wedi dwyn yr hwch hefyd.'

Ffarmwr yn deud wrth ei gymydog am beidio
prynu cig at y Sul, ei fod yn bwriadu rhoi darn o
borc iddo.

Pan ddaeth nos Sadwrn a dim sôn am y porc, mi
aeth y cymydog i weld y ffarmwr.

'Dwi'n poeni braidd,' medde fo. 'Mae hi'n nos
Sadwrn a dim sôn am y cig.'

'Sorri,' medde'r ffarmwr, 'mi wnes i anghofio
deud y newydd drwg wrthot ti. Mi fendiodd y
mochyn.'

Dyn diarth yn cael croeso ar ffarm a chael pryd o
fwyd. Mae o'n canmol yr ham, yr ham mwya blasus
gafodd o erioed, medde fo.

'Rheswm da pam,' medde'r ffarmwr. 'Dwi ddim
yn credu yn y ffyrdd newydd 'ma o ladd anifeiliaid.
Mae'r mochyn yma wedi marw'n naturiol.'

Roedd twrch daear yn yr ardd, a'r garddwr wedi
bod yn ceisio'i ddal ers wythnosau.

Un diwrnod fe welodd y pridd yn codi a dyma
fo'n rhoi rhaw tano a chodi'r twrch allan o'r pridd.

Wrth gydio ynddo fo dyma fo'n deud: 'Dwi wedi bod yn trio dy ddal di ers wythnosau. Rwyt ti'n rhy ddrwg i dy saethu. Mi wn i be wna i efo ti, mi cladda i di'n fyw!'

Ambell dro mae byd amaeth a'r capel yn dod at ei gilydd.

Gweinidog yn aros un penwythnos mewn tŷ ffarm ac wedi gofyn nos Sadwrn gâi o uwd i frecwast drannoeth. Ac fe gafodd fowlied. Pan oedd o ar ganol bwyta a drws y gegin yn llydan agored fe ddaeth mochyn i mewn i'r tŷ, sefyll o flaen y gweinidog ac edrych arno. Dyma'r gweinidog yn deud wrth y wraig: 'Drychwch ar yr hen fochyn 'ma. Wedi nabod ei frawd mae o?' 'Nage,' oedd yr ateb. 'Wedi nabod ei fowlen!'

Mae ambell hen stori yn dod yn fwy gwir wrth i amser fynd heibio.

Roedd Sais yn awyddus i adeiladu tŷ ac fe ofynnodd i ffarmwr am dir i adeiladu arno.

'Ar bob cyfri,' medde'r ffarmwr, yn gweld cyfle i neud ceiniog go dda. 'Faint dalwch chi?'

'Dau gan punt,' medde'r Sais.

'Iawn,' atebodd y ffarmwr. 'Dowch â berfa acw i'w nôl o.'

Mae sawl stori yn chwarae ar eiriau neu'n dibynnu ar y ffaith ein bod yn ddwyieithog. Dyma enghreifftiau:

Gŵr yn helpu ei wraig i lanhau'r tŷ ac yn sylwi, pan aeth i'r llofft, fod y gwely wedi mynd yn simsan. Dyma fo i Astons, y ffyrm ddodrefn, i brynu gwely newydd. Wrth iddo edrych o'i gwmpas dyma ddyn y siop ato. 'Edrych am wely dech chi?' 'Wel ia,' oedd yr ateb. 'O, sut wely dech chi isio, gwely sbring?'

'Bobol annwyl, nage, gwely rownd y flwyddyn, os gwelwch chi'n dda.'

Ffarmwr wedi mynd ar ei ben ei hun ar wyliau i Awstralia, ac yn teimlo hiraeth mawr yn fuan am Gymru ac am y ffarm. Wrth gerdded un bore ar hyd y ffordd daeth ar draws dafad yn pori ochor y clawdd, hen ddafad Gymreig, ac roedd o wrth ei fodd yn ei gweld ac yn teimlo'n well drwyddo.

'Wel, wel,' medde fo wrth y ddafad, 'pryd doist ti yma 'te?'

'Mê,' medde'r ddafad.

'Diddorol iawn,' medde'r ffarmwr. 'Yn Jiwlai y dois i.'

Plismon yn stopio dyn oedd ar ei feic a gofyn iddo pam nad oedd golau ganddo ar ei feic. 'Simpyl,' medde'r dyn. 'Does gen i'r un lamp!'

Dau yn caru ar ganol y ffordd a phlismon yn dod atyn nhw. 'Does gynnoch chi ddim busnes i garu ar ganol y ffordd fel hyn.' 'Dim busnes ydi o,' medde'r llanc, 'ond pleser.'

Ia, rhyw straeon fel yna y byddai'n eu hadrodd mewn cyngherddau ac mae'r gynulleidfa fel arfer wrth eu bodd efo nhw. Mae 'na sôn o hyd heddiw am ledu'r ffiniau, ym myd llenyddiaeth a cherddoriaeth, a phopeth arall am wn i. Ydi hynny'n rhinwedd bob tro, tybed?

*   *   *

Un da mewn noson lawen a chyngerdd oedd y Parch. Huw Jones, y soniais amdano yn arwain Eisteddfod Llangwm, a fo oedd yn arwain yn un o'r nosweithiau llawen cynta dwi'n cofio mynd iddi i gymryd rhan, noson yn Nhai'n y Foel, Cerrigydrudion, at gronfa'r deillion. Roedd Mrs Williams, Tai'n y Foel, yn ddall, a dyna pam y cynhaliwyd y noson at yr achos. Mi ofynnodd Huw Jones i mi faswn i'n cymryd rhan mewn eitem efo fo, ac roeddwn i wrth fy modd ei fod wedi gofyn i mi. Darllen sgript oeddwn i'n gorfod ei neud am yn ail efo fo – sgwrs radio gan wraig y tŷ yn disgrifio sut i neud pwdin Dolig, a sgwrs arall gan nyrs yn trafod sut i drin y babi. Ac roedd y gwifrau wedi croesi. Mi aeth i lawr yn dda, y ddau ohonon ni'n siarad fel merched, a dyma ran o'r sgript honno dwi wedi ei chadw ar hyd y blynyddoedd:

Gwraig: Dyma'r pethe sy'n angenrheidiol i neud y pwdin – blawd, siwet, cyrens a syltanas...

Nyrs: A sebon meddal. Peidiwch byth â golchi babi efo sebon carbolic, mae ei groen bach o mor dendar. Pan fydd popeth yn barod gennych chi, felly, cymerwch y babi a'i roi...

Gwraig: Mewn bowlen go fawr, a chymysgu'r cyfan efo llwy bren am ddeng munud reit dda. Gofalwch fod y cyrens a'r syltanas...

Nyrs: Rhwng bysedd ei draed a'i glustie fo, mae hynny'n bwysig dros ben. Os bydd ei lygaid yn edrych braidd yn wan, golchwch nhw efo...

Gwraig: Tipyn bach o frandi neu rym, mater o chwaeth ydi hyn wrth gwrs. Mae'n well gan rai pobol...

Nyrs: Ychydig o fasalin neu sinc ointment, a chofio fod powdwr yn hanfodol, y powdwr gorau posib...

Gwraig: Rhag i'r pwdin fynd yn rhy wlyb. Os
         digwydd hynny, rhowch dipyn bach mwy
         o flawd...

Nyrs: Yn ei drwyn, wedyn gosodwch o ar eich
         glin...

Gwraig   A'i guro efo llwy bren...

Ac felly ymlaen am ryw bum munud go dda a
gorffen fel hyn:

Nyrs: Yna cymerwch y babi a'i...

Gwraig: Sleisio'n ofalus efo cyllell reit finiog.
         Gobeithio y bydd o'n flasus a gobeithio na
         chewch chi gamdreuliad ar ei ôl. Nos da i
         chi i gyd!

*   *   *

Mi soniais mod i'n hen ffasiwn, ond mae gen
i brawf pendant dros nifer o flynyddoedd fod
yr hen mor boblogaidd â'r newydd, ac nad oes
raid i'r hen heneiddio. Yn 2008 roedd gofyn
i ni yn yr ardal hon godi arian at Eisteddfod
Genedlaethol Meirion a'r Cyffiniau, ac mi
drewais i ar y syniad o gael nifer o'r cantorion
dros 60 oed sy'n cystadlu ar yr emyn yn ein
steddfodau ni i gynnal noson – Cenwch im yr

Hen Emynau. Roeddwn i'n nabod y cantorion hyn i gyd, ac yn gyfeillion agos efo nifer ohonyn nhw.

Nos Sul, 1 Mehefin 2008 y cynhaliwyd y noson ac yr oedd capel a festri Dinmael dan eu sang a'r tocynnau wedi mynd ers wythnosau cyn y noson. Pumpunt yr un oedd y pris a fu erioed gymaint o gip ar docynnau, a hynny i glywed un ar hugain o rai a ystyrid gan amryw yn hen yn canu emyn bob un! Yn eu plith roedd Glenys Jones, Llannefydd; John Tegla Williams, Llanelwy; Tecwyn Blainey, Trefnant (fu farw'n ddiweddar); Geraint Roberts, Dinbych; Elwyn Evans, Llandyrnog; Aled Jones, Comins Coch; Gwyn Williams, y Rhyl; John Lloyd, y Rhyl; Elen Davies, Llanfair Caereinion; Griff Ellis, Ysbyty Ifan; Tudor Vaughan, Llanrhaeadr-ym-Mochnant; Deborah Lloyd, Tregeiriog ac Olwen Jones, Pen-y-bont-fawr.

Y fi oedd yn arwain y noson, Beryl Lloyd Roberts, arweinydd Côr Dinbych a chyn-athrawes gerdd yn Ysgol Brynhyfryd, Rhuthun, yn cyfeilio a John Eric Hughes, Abergele, cyn-brifathro'r ysgol leol yn llywydd.

Un rheol oedd yna i'r noson, sef nad oedd yr un emyn i'w ganu ddwywaith, ac felly roeddwn i'n cael gwybod ymlaen llaw beth oedd dewis pob datgeinydd, ac fel mae'n digwydd doedd neb wedi dewis yr un emyn â rhywun arall beth bynnag. Cyfraniad y gynulleidfa oedd dau emyn, 'Diolch i Ti, yr Hollalluog Dduw' ar y dechre a 'Dan dy fendith wrth ymadael' ar y diwedd, ac fe gafwyd canu i godi'r to.

Yn 2009 fe ailadroddwyd y fenter, gyda'r un canlyniad, ac wedyn y trydydd tro yn 2010. Yna, yn 2011 a 2012, dyma newid peth ar yr arlwy ac ar rai o'r cantorion hefyd gan gynnal 'Cenwch im yr Hen Ganiadau' yn hytrach na'r hen emynau, gyda llai o gantorion a phob un yn canu ddwywaith. Ond yr un yw'r canlyniad – capel llawn bob tro a mynd mawr ar y tocynnau. Eleni cafwyd wyth o unawdwyr: Tom Evans (Tom Gwanas), Dolgellau; Hywel Williams, Llandudno; Iwan Parry, Dolgellau; Aled Wyn Davies, Llanbryn-mair; Gwyn Jones, Llanafan; Meirion Wyn Jones, Llangynhafal; Vernon Maher, Llandysul a Kate Griffiths, Brynsaithmarchog. Tudur Jones, Tywyn, oedd y cyfeilydd a'r Dr Edward Davies, un o gyn-ddoctoriaid cymeradwy yr ardal yn llywyddu.

Canwyd nifer dda o hen unawdau a deuawdau poblogaidd Cymru, megis 'Gwlad y Delyn', 'Yr Hen Gerddor', 'Arafa, Don' a 'Llwybr yr Wyddfa', ac fe wêl y cyfarwydd fod ymhlith y cantorion nifer dda sydd wedi ennill, nid yn unig yr unawd yn eu dosbarth yn y genedlaethol, ond y Rhuban Glas hefyd.

Oes, mae modd bod yn hen ffasiwn ac yn boblogaidd yr un pryd, diolch am hynny.

Crefftau a Diddordebau Cefn Gwlad

Walio

Oesoedd cyn i neb ddod i wybod am weiren bigog a ffens, roedd waliau a gwrychoedd yn eu bri yng Nghymru, ac roedden nhw'n bwysig am fod y syniad o 'gau i mewn' yn bwysig, y cau i mewn a greodd gaeau ac a sicrhaodd derfyn rhwng ffermydd.

Crefft oedd yn boblogaidd iawn yng Nghymru slawer dydd oedd walio. Does ond rhaid edrych ar yr holl waliau cerrig sydd ar hyd a lled ein gwlad i wybod hynny, a'r rheini'n amal yn mynd yn uchel i fyny ochrau'r mynyddoedd hefyd.

Roedd sawl rheswm am eu bodolaeth yn yr ucheldir; roedd yn anodd tyfu gwrychoedd yn uchel ar y mynyddoedd, doedd ffensio ddim wedi dod yn rhywbeth poblogaidd, ac roedd digon o gerrig wrth law ar ochrau'r mynyddoedd ac yn y ddaear, cerrig oedd yn dod i'r wyneb wrth i'r ffermwyr aredig y tir.

Mae haneswyr yn deud mai dechre'r bedwaredd ganrif ar bymtheg oedd cyfnod olaf yr adeiladu mawr ar waliau cerrig, yn enwedig yn y mynydd-dir. Yn 1845 pasiwyd Deddf Cau Tir (Comin) oedd yn eithrio llawer o dir o afael tirfeddianwyr, a daeth yr arfer o godi waliau i ben.

Heddiw, gyda chynlluniau megis Tir Gofal a Thir Cymen, ac erbyn hyn Glastir, mae ailgodi llawer o'r waliau hyn yn grefft sy'n tyfu, ac yn cael ei dysgu yn ein colegau amaethyddol. Mae llawer o'r rhai sy'n adeiladu tai hefyd yn chwennych waliau cerrig o gwmpas eu gerddi, ac felly mae digon o waith ar gael i'r rhai sy'n gallu eu codi.

Efo Nhad y dechreues i walio, a'm tasg pan oeddwn yn hogyn oedd llenwi canol y wal efo cerrig mân, ond bob yn dipyn, dan ei arweiniad o, mi ddois i ymgymryd â thasgau eraill adeiladu wal.

Dwi'n sôn, wrth gwrs, am waliau sychion, waliau heb yr un gnegwerth o sment yn agos iddyn nhw. Tydi adeiladu wal efo cerrig a sment ddim yr un grefft o gwbwl ac mae'n llawer haws ei chyflawni.

Rhan bwysica unrhyw adeilad, medden nhw, ydi'r rhan sy o'r golwg, y sylfaen, ac mae'r un peth yn wir am waliau cerrig. Rhaid cloddio i lawr i gael c'ledwch ac yna gosod yr haen gyntaf o gerrig, y cerrig sylfaen, yn eu lle, cerrig mawr, gwastad fel arfer.

Rhaid cymryd gofal wrth osod y cerrig fel bod y gwahanol haenau'n gorgyffwrdd, yn union fel patrwm brics mewn wal tŷ. Mae hynny'n rhoi cryfder i'r wal, ond mae angen elfennau eraill hefyd. Un o'r rhai pwysica ydi llenwi canol y wal o hyd, a'i llenwi gan amlaf efo cerrig mân, llawer manach na'r rhai sy'n ffurfio ochrau allanol y wal. Rhaid sicrhau nad oes yr un garreg, wedi iddi gael ei gosod yn iawn, yn symud. Bydd beirniad mewn cystadleuaeth bob amser yn gafael mewn cerrig i weld ydyn nhw'n symud, ac os ydyn nhw dyna golli marciau yn syth. Un garreg yn symud a dyna hadau cwymp y wal wedi eu plannu.

Os ydi'r wal yn un lydan mae'n bosib y bydd dwy res o gerrig ar y top, yn glo iddi, a cherrig mân yn y canol. Bryd hynny mae'n bwysig gosod ambell garreg yn lletraws drwy'r wal, hynny ydi yn groes i'r lleill, er mwyn ei chryfhau. Mae wal dda yn culhau ryw ychydig wrth gael ei hadeiladu ar i fyny hefyd fel bod un rhes o gerrig clo yn ddigon ar draws y top.

Dwi wedi adfer llawer o waliau, wrth fy hunan gyda fy meddyliau fel y bydd pysgotwr yn amal. Rydw i hefyd wedi cystadlu llawer mewn cystadlaethau codi wal, ac wedi ennill cwpanau a thlysau i'w gosod ochr yn ochr â'r tlysau enillais i am adrodd.

Un gystadleuaeth sy'n mynd ers blynyddoedd – tua 1983, dwi'n meddwl – yw Cystadleuaeth Codi Waliau Cerrig Cymdeithas Eryri, ac mae gen i adroddiad o'r gystadleuaeth a gynhaliwyd yn 2003 ym Mlaen y Nant, Nant Ffrancon, tir yr Ymddiriedolaeth Genedlaethol.

Mae tri chategori: proffesiynol, lled-broffesiynol ac amatur, ac fe enillais dlws Innogy, y noddwyr, yn y categori proffesiynol. Ar ddiwedd yr adroddiad mae paragraff diddorol wedi ei sgrifennu gan rywun am waliau cerrig, a dyma fo:

Mae waliau cerrig yn atal defaid a gwartheg rhag crwydro, ac at hynny maen nhw'n gartref i famaliaid bychain a chysgod i anifeiliaid ffarm, ac, i'r sawl sy'n mwynhau harddwch y tirlun, yn arwydd nodweddiadol gwych o dirwedd Eryri. Fedr ffens, sy'n para am ryw 25 mlynedd, ddim cystadlu â wal gerrig sy'n goroesi 150 o flynyddoedd yn hawdd.

Y beirniaid yn y gystadleuaeth oedd Gareth Pritchard a Barry Roberts. Mae sawl sioe yn cynnal cystadlaethau hefyd, megis sioe Cerrig a Sioe Môn, ac rydw i wedi bod yn cystadlu ynddyn nhw i gyd.

Ond nid walio i amaethwyr yn unig fydda i, ond i berchnogion tai hefyd, megis Talwrn Glas, Rhydtalog, ger Treuddyn. Doedd neb wedi byw yn y tŷ er 1947 ond mi prynwyd o gan Raymond a Helen Roberts o'r Bala, ac mi gafodd Gerallt Tudor, Corwen, y dasg o'i adnewyddu, ac fe ofynnodd i mi walio rownd y lle. Doedd o'n ddim ond sgerbwd, ond erbyn hyn mae'n edrych fel palas. Eilir Rowlands, Eilir yr Hendre, ŵyr Llwyd o'r Bryn, yw un arall fuo'n gweithio arno.

Wrth ailadeiladu'r wal o gwmpas y tŷ mi ddois ar draws potel a honno'n gyfan, wedi ei gosod a'i phen i lawr yn y wal. Mi lwyddais i'w hagor ac ar ddarn o bapur y tu mewn iddi roedd y geiriau: 'Edward Jones, Adeiladwyd 1917.' Dyma finne'n ychwanegu fy enw a'r dyddiad ar damed arall o bapur, yn ailselio'r botel a'i hailosod yn y wal. Bydd rhywun, mewn rhyw oes falle, yn dod ar draws fy enw fel y dois i ar draws enw Edward Jones.

Dwi'n dal i neud peth walio, yn mwynhau

fy nghwmni fy hun a gneud popeth wrth fy mhwysau. Dydi rhuthr diddiwedd bywyd y dyddiau yma ddim yn gweddu o gwbl i'r hen grefft. 'Yn ara deg mae dal iâr,' medde'r hen air – felly mae walio hefyd!

Plygu Gwrych

Y wal oedd fwyaf poblogaidd ar y mynyddoedd ac o gwmpas tai ac adeiladau, ond y gwrych oedd piau hi gan amlaf o gwmpas caeau. Yn wir, ystyr y gair cae ydi darn o dir wedi ei neilltuo, wedi ei gau allan gan wrych. A'r un syniad a geir yng ngair Sir Drefaldwyn – shetin, sef addasiad gair Saesneg 'shut in'. Mae'r gair bangor – sy'n enw ar drefi a dinasoedd erbyn hyn, hefyd yn dod o'r traddodiad o greu gwrychoedd, gan mai plethwaith o wiail a changhennau yw ei ystyr.

Yn ystod yr ugeinfed ganrif, ac yn arbennig ar ôl rhyfel 1939–45 daeth y ffens yn boblogaidd fel dull hwylus ac effeithiol o gadw anifeiliaid o fewn terfynau, ac fe ddisodlwyd llawer o wrychoedd a waliau gan y ffens. Yn wir, mi aeth yr arferiad o ffensio ac o uno caeau â'i gilydd dros ben llestri nes i Tir Gofal a Tir

Cymen ddod i'r adwy ac adfer y sefyllfa drwy roi bri unwaith eto ar greu ac adfer waliau a gwrychoedd. Mae i wal neu wrych un elfen bwysig iawn na pherthyn i'r ffens, sef cysgod, cysgod i anifail, cwbwl angenrheidiol yn yr hinsawdd ryden ni'n byw ynddi, ac fe gafwyd grantiau i gefnogi dychwelyd i'r dull hwn o gau. Dwi wedi elwa'n fawr o'r cynlluniau yma gan iddyn nhw roi llawer o waith walio a phlygu gwrychoedd i mi yn ystod y blynyddoedd diwethaf.

Fy nhad a'm dysgodd i walio a fo a'm dysgodd yn rhannol i blygu gwrych, ond fod i Dafydd Williams, Pen Isa'r Mynydd, ran fawr yn y brentisiaeth honno hefyd. Y mae plygu gwrych yn grefft a rhaid bod yn bur sgilgar os yw'r gwrych wedi ei esgeuluso a'i adael i dyfu'n flêr a hynny am flynyddoedd. Yn ddelfrydol dylid plygu gwrych ar ôl rhyw ddeng mlynedd o'i oes, ond prin yw'r gwrychoedd hynny, mae'r rhan fwyaf wedi eu gadael am genedlaethau lawer!

Yr adeg gorau i blygu gwrych ydi rhwng dechre Hydref a diwedd Mawrth pan fydd y sap yn isel a'r pren yn 'cysgu'. Rhaid dewis y canghennau iawn i'w plygu, hollti pob un yn ei bôn ddigon iddi blygu ond dim gormod neu fe fydd yn marw, a gneud hynny gyda chryman neu filwg miniog. Mae'n bwysig gwisgo pâr o fenig cau hefyd, menig lledr caled, trwchus, yn enwedig os oes llwyni drain yn y gwrych! Rhaid wrth byst i fod yn asgwrn cefn i gynnal plethwaith y gwrych a gordd i ddyrnu'r pyst i'r ddaear.

Yr hen arferiad oedd plygu gwrych pan fydde'r cae wedi ei droi ar gyfer tyfu cnydau gan na fydde anifeiliaid ynddo bryd hynny ac mi fydde'r gwrych yn cael llonydd i dyfu.

Yr hyn fydda i'n ei neud gynta ydi twtio ochor y gwrych a gneud lle i bob cangen orwedd, wedyn clec iddi yn ei bôn, yn ofalus rhag torri gormod, a phlygu'r gangen – ond ddim yn rhy fflat gan ei bod yn debycach o dyfu os ydi hi ar dipyn o osgo. Mi fydda i'n curo'r polion i mewn ar osgo hefyd; maen nhw'n dal yn well ac yn llawer cadarnach felly.

Dwi wedi bod mewn llawer o lefydd diddorol yn plygu, ac mae'n debyg mai un o'r llefydd mwya difyr oedd yr Amgueddfa Werin yn Sain Ffagan pan fues i'n plygu'r gwrych o gwmpas yr hen dalwrn ymladd ceiliogod a'r crochendy. Mi fues yno am bedwar diwrnod, o ddydd Sul tan ddydd Iau, yn dysgu hogyn ifanc ac mi ddaeth yn blygwr da ar ei union. Roedd hi'n braf hefyd cael sgwrsio efo pobol wrth iddyn nhw fynd heibio, llawer ohonyn nhw'n dangos diddordeb yn yr hen grefft.

Mae gan bob ardal ei ffordd ei hun o blygu. Dyna chi'r arfer sy'n gyffredin yng nghanolbarth Cymru – Maldwyn, Brycheiniog a Maesyfed – o ychwanegu plethwaith o gyll ar hyd top y gwrych, yr un math o blethwaith ag oedd yn cael ei ddefnyddio erstalwm i gynnal y mwd a ddefnyddid i greu waliau tai. Mae natur y tir, y mathau o goed a chynnyrch y caeau yn dylanwadu ar y dull o blygu.

Erbyn hyn daeth peiriannau 'barbio' i hwyluso'r gwaith o gadw gwrychoedd yn daclus ac mae'n llawer haws cadw trefn ar wrych ar ôl iddo fo lenwi a thyfu'n iawn. Ond mae'n dal angen plygu gwrych am y tro cynta a thwtio hen wrychoedd a llenwi bylchau, ac mi rydw i'n falch iawn o hynny!

Casglu hen bethe

Dwi wrth fy modd efo hen bethe, hen offer oes a fu. Mae sawl rheswm am hynny, am wn i; mae'n siŵr mai un ydi'r ffaith fod Gwyndaf fy mrawd wedi treulio oes yn Sain Ffagan yn casglu tystiolaeth a hanesion a straeon yr hen oes. Rheswm arall ydi mod i'n cofio defnyddio cymaint ohonyn nhw, cofio'r cyfnod pan oedden nhw'n offer defnyddiol ar ffarm, nid yn greiriau fel maen nhw heddiw. A'r rheswm arall ydi imi sylwi mewn seli fod pobol yn gneud i ffwrdd â nhw a'u bod yn mynd am arian mawr pan fyddan nhw'n cael eu gwerthu. Bellach mae'r holl beth wedi mynd i ngwaed i, ac os gwela i rywbeth nad ydi o gen i, mi gynigia i amdano. Weithie dwi'n ei gael, dro arall mae'r pris yn codi i'r entrychion a fedra i mo'i fforddio.

Mi wnes i gamgymeriad reit ar y dechre, prynu sied rhy fach, a buan iawn yr oedd hi'n llawn. Prynu sied arall, a honno wedyn yn llenwi. Erbyn hyn, mae gen i drydedd sied a fydd honno ddim yn hir cyn y bydd yn llawn hefyd! Dwi'n cofio Hywel Gwynfryn yn dod i neud rhaglen am yr offer pan oeddwn i'n berchen un sied, ac mi fu'n rhaid imi dynnu rhai o'r pethe allan i neud lle iddo fo fynd i mewn. Wel, dydi o mo'r lleia o feibion dynion!

Mi fydda i'n mynd o gwmpas y cymdeithasau weithie i siarad am yr hen offer, ond yn naturiol dim ond y pethe lleia alla i eu cario efo fi i leoedd felly. Ond mae'r pethe mwy yn cael sylw hefyd, mewn sioeau yn bennaf, lle mae mwy o le i arddangos. Mae bonws heb ei ddisgwyl yn dod o'r cyfarfodydd hyn ambell waith, fel y tro hwnnw y bues i ym Modffordd yn sgwrsio am rai o'r celfi. Roedd Machraeth yn y gynulleidfa ac ar y diwedd mi gyflwynodd yr englyn yma i mi, wedi ei gyfansoddi yn ystod y sgwrs!

Gŵr o'r werin ddiflino – yw Aeryn,
    O erwau'r gwir Gymro,
   Un o frid sy'n orau'i fro
   Yn gyfaill gwerth ei gofio.

Fel y mae'r defnydd o'r offer wedi cilio mae eu henwau yn prysur fynd hefyd, a darn helaeth o'r iaith Gymraeg yn cael ei golli. Mae'r un peth yn wir am ddiwydiannau o bob math – y diwydiant glo er enghraifft, a'r offer oedd gan y saer, y crydd a'r gof. A phwy heddiw sy'n gwybod beth yw masg a mwnci, strodur a chefndres – yr holl offer yr oedd yn rhaid gwisgo'r ceffyl efo nhw?

Mae gen i fwy o feddwl o'r offer os ydw i'n gwybod eiddo pwy oedden nhw. Dyna i chi'r offer ceffyl, er enghraifft. Eiddo William Jones, Cae'r Berllan, Tywyn, oedden nhw, ac mi prynes i nhw mewn sêl yn Nolgellau ychydig cyn

123

marw William Jones. Yn weddol ddiweddar mi drewais ar ei ŵyr, ac mi ddiolchodd hwnnw imi am brynu offer ceffylau ei daid.

Yr un fath efo'r peiriant nithio, y peiriant oedd yn gwahanu'r us oddi wrth yr ŷd slawer dydd. Dau frawd, Dewi a Dafydd Jones, Disgarth Isa, wnaeth y peiriant hwnnw, fel y gwnaethon nhw injan ddyrnu hefyd, ond dydi honno ddim gen i!

Wedyn o Disgarth Ucha, lle roedd ffrind penna Nhad, sef Robert Williams, yn byw, mi brynais sgyfflar a dril hau hadau mân. Tybed faint o bobol heddiw ŵyr be 'di sgyfflar? Peiriant i lanhau a symud y chwyn rhwng y rhesi yn y cae oedd o, boed resi tatws, maip neu unrhyw beth arall – offeryn defnyddiol dros ben.

Mi all pawb ddod o hyd i'n tŷ ni yn hawdd iawn wrth deithio drwy Ddinmael gan fod cymaint o offer yn yr ardd o flaen y tŷ, offer bach a mawr. Mae gen i rai pethe eitha anghyffredin, fel rhaw bren i droi'r ŷd. Mae gen i offer golchi hefyd, sef y twb a ddefnyddid erstalwm a'r ddoli oedd yn cael ei gosod yn y twb a'i throi, yr un math o symudiad ag y mae peiriant golchi heddiw yn ei neud, ond yn llawer arafach! Mae llawer o offer yn mynd efo hen gratiau hefyd, ac erbyn hyn mae Barbara wedi dechre cymryd diddordeb mewn casglu.

Beth fydd yn digwydd i'r holl offer ar ôl fy nyddiau i, wn i ddim. Yn y cyfamser rydw i'n cael pleser anghyffredin wrth eu casglu ond ar yr un pryd yn gofidio myned ymaith yr hen oes.

Hefyd o'r Lolfa:

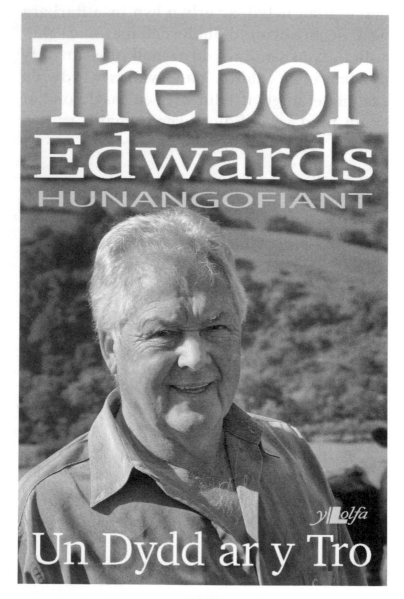

£9.95

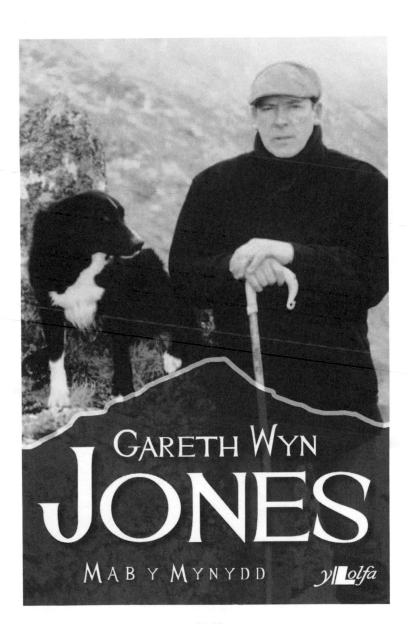

GARETH WYN
JONES

MAB Y MYNYDD

yLolfa

£9.95

Am restr gyflawn o lyfrau'r Lolfa, mynnwch
gopi am ddim o'n catalog
neu hwyliwch i mewn i'n gwefan

www.ylolfa.com

lle gallwch archebu llyfrau ar-lein.

yLolfa

TALYBONT CEREDIGION CYMRU SY24 5HE
ebost ylolfa@ylolfa.com
gwefan www.ylolfa.com
ffôn 01970 832 304
ffacs 832 782